·최고의·
주택 평면

집짓기 전에 봐서
다행이야.

차례

프롤로그

저는 **'행복한 집을 많이 만들고 싶다'**는 것을 목표로, 전국을 떠돌고 있는 일본 주택 디자이너 **타부치 키요시** (Kiyoshi Tabuchi)입니다.

자, 과연 우리가 생각하는 '행복한 집'이란 뭘까요?
남향의 넓은 거실이 있는 집? 에잇! 그런 집이
좋은 집이라는 것은 도대체 누가, 언제 정한 거죠?
라이프스타일도, 취향도, 취미도, 사는 사람도 제각각인데
규격화된 규칙에 얽매여 있다는 건 말 그대로 난센스죠.
제가 내린 행복한 집의 정의는 아주 단순합니다. 그 집에
사는 모두가 늘 기뻐할 수 있는 집. 집안일을 편하게 해주는
동선에도, 거실 한편의 꽃무늬 포인트 벽지에도 즐거움이
가득한 집. 그런 집에 사는 사람은 항상 얼굴에 웃음이
넘칩니다. 바로 그곳이야말로 행복한 집이고요. 그런 집을
만들기 위한 첫걸음은 이 책으로부터 시작합니다.
정해진 평면도가 아닌 당신만을 위한 평면도, 그 안에
행복이 있습니다. 이것을 많은 분에게 알리고 싶었습니다.
제가 평면을 구상하며 느꼈던 설렘과 기쁨이 책을 보는
모두에게 전해지길 바랍니다.

'행복한 평면'이란?

삶의 방식, 취미, 기호…
행복한 평면은 사는 사람에 따라 다릅니다. 그러나
공통적인 3가지 원칙이 있습니다. 그동안 많은 집을
디자인하며 발견한, 행복 법칙을 소개합니다.

주택 디자이너
타부치 키요시

'가족 모두가 행복해지는 집'을 알리기 위해 주택 디자이너와 빌더 일을 하며, 인스타그램에 올린 평면구성도로 이름을 알렸다. 현재 그의 계정 팔로워는 5만2천여 명. 그가 말하는 일명 '타부치적 집'을 꿈꾸는 이들이 일본 전역에 늘고 있다.

밝은 햇빛과 시원한 바람이 집 안 곳곳에서 느껴지는 평면이라면

빛과 바람이 몸으로 스며들 때, 저절로 미소가 지어지지 않나요? 신선한 공기가 흐르고 밝은 햇살이 가득한 집은, 그것만으로도 사는 사람의 기분을 긍정적으로 만들어 줍니다. 물론 세탁물을 뽀송뽀송하게 말리고 축축한 욕실을 쾌적한 상태로 바꿔주는 등 주거 환경 개선에 도움을 주기도 하죠. 집 안에 바람이 통하게 하려면 한 개의 방에 2개 이상의 창문을 설치하여 바람길을 만드는 것이 무엇보다 중요합니다. 빛은 방의 방향을 바꾸거나 배치를 달리해 얼마든지 개선할 수 있고요. 그러니 입지 조건이 나쁘다고 집짓기를 쉽게 포기하지 마세요.

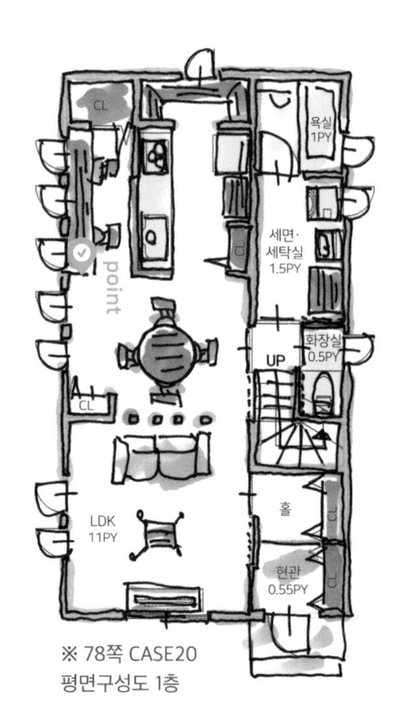

※ 78쪽 CASE20 평면구성도 1층

1 어떤 방에서 무엇을 하고 있을 때 가장 자연채광이 좋아야 하는지 등에 따라 평면 구조도 변한다. 따라서 하루 동안 가족의 동선을 잘 살펴본다.

2 거실과 다이닝 공간에 4개의 창문이 설치되었다. 바람은 높은 곳에서 낮은 곳으로 불기 때문에, 창문의 위치에 고저차를 두는 것이 좋다. 현관과 가까운 곳은 사생활 보호를 위해 높은 위치에 창을 설치한다. 즉, 장소에 따라 창문의 스타일도 달라져야 한다.

벽을 설치하여 내진 성능을 높이고, 이를 선반으로 사용하면 실용성 UP!

가족을 지키는 안전한 집. 이것은 집짓기의 대전제이다. 그러므로 내진 성능이 부족한 경우, 기둥이나 벽을 세워 보강한다. 기둥과 벽은 선반·수납공간으로도 활용 가능해 실용적이다.

동선에 낭비가 없고 적재적소 수납력을 갖춘 평면이라면

바쁜 일상 속, 스트레스 없이 집안일을 하기 위해선 편리하게 이동할 수 있는 동선이 필요합니다. 예를 들면 주방과 세탁실을 연결하고, 세탁실에 빨래 건조 공간을 함께 두는 것. 동선을 줄이면 일이 편해집니다. 또한, 수납 위치도 동선과 밀접한 관계가 있는데, 식자재를 보관하는 팬트리(Pantry)가 주방 근처에 있으면 동선 낭비를 손쉽게 줄일 수 있습니다. 적절한 자리에 배치된 수납공간은 동선을 자연스럽게 하는 데 필수 불가결한 요소죠.

※ 36쪽 CASE9 평면구성도 1층

주방, 거실, 2층으로 자연스럽게 이동!

1 거실에 계단을 만들 때 복도를 통하지 않으면 동선이 짧아진다. 복도를 생략하면 공사비도 절감되니 일거양득. 단, 2층에 오르려면 반드시 거실을 통과하므로, 위치를 고려해 TV를 설치해야 시청에 방해받지 않는다.

계단실에 문을 설치하면 에너지 절약 및 단열 효과 상승

거실 에어컨 가동 시 냉기와 온기가 계단을 타고 2층으로 사라져버리기 일쑤. 계단실 앞에 문을 달면 에너지 절약 및 단열 효과를 끌어올릴 수 있다. 에어컨을 사용하지 않는 기간에는 문을 열어 개방감을 살린다.

세탁실에서 빨래와 수납까지 해결!

2 세면·세탁실은 이름 그대로 「세면실」과 「세탁실」을 겸한 공간. 하지만 세수와 세탁하는 장소로만 사용하라는 건 아니다. 건조대와 수납장을 설치해 빨래 건조와 정리가 한곳에서 해결되도록 한다. 벽지 색을 조금 달리하거나 인테리어 요소를 가미한다면 집안일로 인한 스트레스 해소에도 도움이 될 것이다.

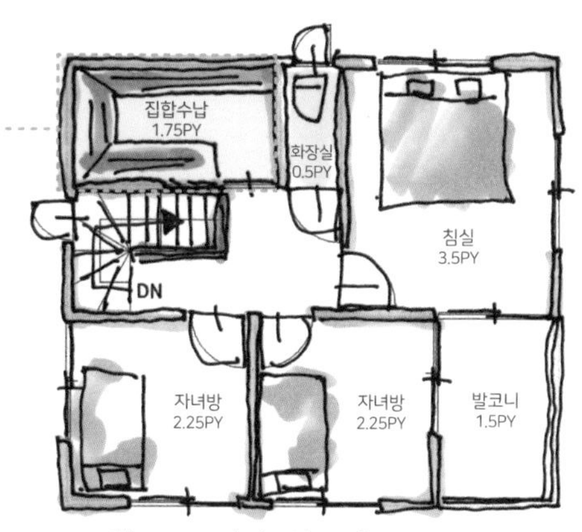

※ 24쪽 CASE3 평면구성도 2층

가족의 옷과 물건을 전부 한 곳에 정리하면 편리!

3 지금까지 당연하게 생각해온 '방마다 옷장'이라는 고정관념을 버리고, 가족의 옷을 모두 한 곳에 정리하는 '집합' 수납을 택한다. 세탁 마친 옷을 놓기 위해 일일이 방을 찾아다니는 수고를 덜 수 있으니 살림이 수월해진다.

자기 시간을 제대로 가질 수 있는 평면이라면

그곳에서 보낼 시간만 떠올려도 피식 웃음이 나는 공간. 만약 그런 곳이 집 안에 있다면 어떨까요? 화가 나거나 기분이 안 좋을 때도 거기서만큼은 심신 안정에 도움을 줄 것입니다. 그래서 생각해낸 것이 바로 '취미 테이블(선반형 테이블)'. 거실이나 주방 한쪽에 테이블을 설치합니다. 물론 공간을 어느 정도 확보할 수 있다면 조그마한 방을 만들어도 좋고요. 좋아하는 것에 둘러싸여 취미생활을 즐기는 시간은 나에게 휴식과 기분 전환을 선물합니다.

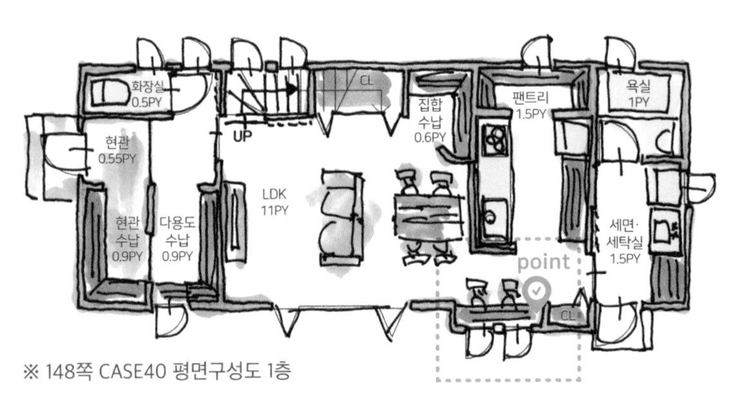

※ 148쪽 CASE40 평면구성도 1층

1 자신이 원하는 색의 벽지(또는 페인트)와 조명을 선택해 공간에 변화를 준다.

2 거실에 만든 취미 테이블. 벽이나 선반 아래에 만들면 개인 작업실 같은 편안함을 느낄 수 있다.

가족 모두 앉을 수 있는 길쭉한 테이블

온 가족이 모여 앉는 긴 테이블. 아이들과 게임을 하거나 책을 읽는 등 여러 가지 활동을 함께 할 수 있고, 혹 각각 다른 일을 하고 있어도 일체감이 든다.

알면 더 쉽다!

타부치 스타일 평면도 보는 방법

잘 그리진 않았지만, 평면도가 만화 같아 재밌죠? 그러나 평면도를 잘 모르는 사람이 있으면 곤란하므로, 보는 방법을 설명하겠습니다.

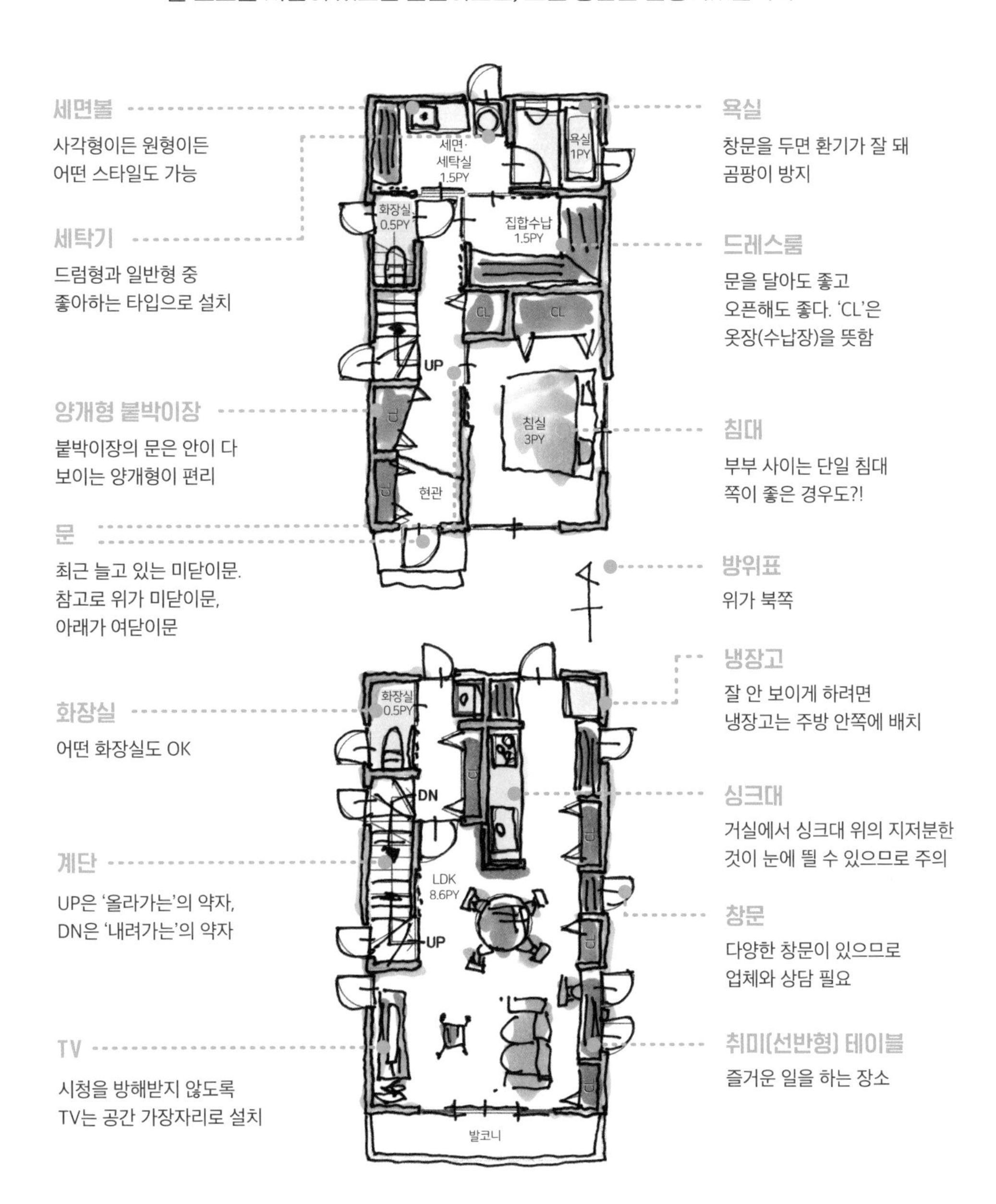

▶ 실명 아래 'PY'는 '평' 단위이다.

행복한 평면, 3D 스케치

이런 주방, 어떤가요?
보는 것만으로도 행복하지 않나요?
목공사를 기본으로, 벽 일부만 두껍게 하는 등 조금의 변화만 주어도 공간의 분위기가 확 달라집니다.
이런 벽과 천장은 모양 자체로 디자인이 되어 어떤 색상의 벽지로 마감하든 잘 어우러집니다. 스타벅스(Starbucks)와 론 허먼 카페(Ron Herman Cafe) 등 유명 카페의 인테리어가 그 좋은 예.
집짓기 전 미리 체크해보세요!

펜던트
조명만
설치해도
공간 변신
창문은 카페
분위기로
세련되게
튼튼한 벽을
만들기 위한
벽돌 쌓기
테이블을
창 아래 두면
가슴이
두근두근♪

5만2천 명이 두근두근했던 최고의 행복을 위한 최고의 평면

드디어 제가 그린 평면도를 소개합니다!
'좋아요'라고 생각되는 평면 아이디어가 있다면
언제든 따라 하셔도 됩니다. 행복한 가정을 늘리는
것이 제가 가장 바라는 바이니까요.

ATTRACT7
happy
attract7
フォローする
投稿502件
フォロワー48.1千人
479人をフォロー中
kiyoshi.tabuchi 住宅デザイナー（大阪.京都.名古屋にて新築.リフォーム.リノベーション.店舗改装）*可愛いすぎずカッコよすぎないデザインにワクワク *株式会社attract style経営*株式会社house stage経営* インテリアショップTHEWOW経営 www.house-stage.jp

WALL
WAKUWAKU
KYA—

1

주택 평면 사례

CASE 1-9 + COLUMN 1

CASE 01

작은 창문을 통해 아이의 낮잠 자는 모습을 찰칵!

짜잔! 첫 번째 도면은 '별도의 아담한 방이 있는 평면'입니다. 작은 창문 너머 방을 바라볼 수 있습니다. 이곳에서 아이가 노는 모습을 카메라에 담고, 엄마는 요리하면서도 아이의 모습을 확인할 수 있으니 안심이겠죠? 세 식구라 아이방은 하나면 됩니다. 대신 처음부터 부부 침실을 넓혀 향후 가족이 더 늘었을 때 가벽을 세워 방을 나누도록 합니다. 아이방에는 수납공간을 따로 만들지 않았습니다. 복도에 있는 집합수납공간에 아이의 옷을 함께 정리하면 가사 부담을 줄일 수 있으니까요.

면적 106.82㎡ | **1F** 66.25㎡ | **2F** 40.57㎡

방 안을 파파라치!
주방과 방을 연결하는 작은
창문이 가족을 화목하게 한다.

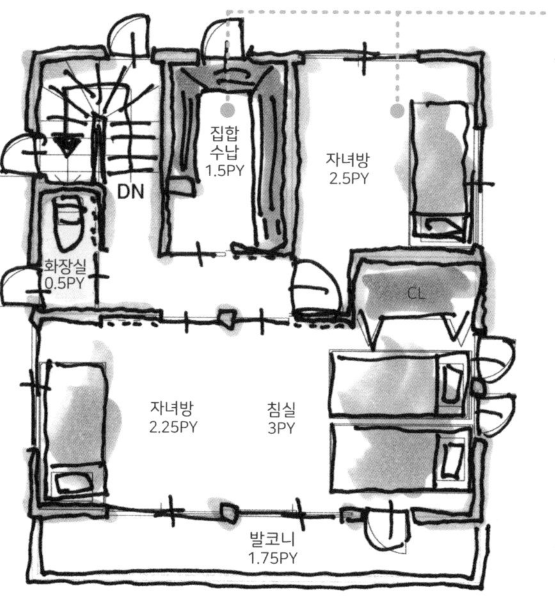

아이방은 수납
없이! 집합
수납공간만으로도
집안일을 쉽게
줄일 수 있다.

CASE 02

각자 좋아하는 것을 할 수 있는 선반형 테이블

다이닝룸에 둔 선반형 테이블. '카페에서나 볼 수 있는 거 아니야?'라고 할 만큼 길이가 긴데, 무려 약 4.1m. 취미 활동 중 사진을 찍어 SNS에 올리거나 조용히 자신만의 시간을 보내기 좋은 장소입니다. 발밑에 선반을 만들면, 스마트폰 충전기나 아이의 문구용품, 비상약도 수납할 수 있죠.
세탁실의 면적을 넓혀 천장에 빨래 건조대를 2개 정도 설치하면 빨래를 세탁기에서 바로 꺼내 널 수 있으니 일이 줍니다. 게다가 붙박이장까지 두면 속옷이나 수건 등을 보관할 수 있어 일일이 각 방까지 가지러 갈 필요가 없죠. 빛 잘 드는 2층에 비해 조금 어두운 1층에 침실을 배치했습니다. 어스름하니 잠은 잘 잘 수 있을 거예요.
아이가 둘이라면 어릴 땐 방을 함께 사용하게 해요. 추후 컸을 때 가벽으로 방을 나누는 건 아이들의 선택으로 남겨두고요.

면적 96.88㎡ | **1F** 48.44㎡ | **2F** 48.44㎡

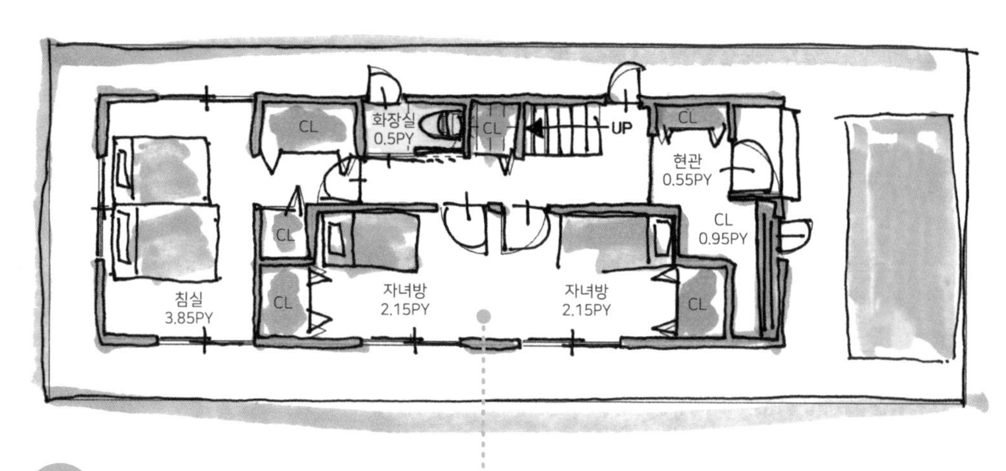

1F

놀면서 다투고, 다투면서 놀고.
두 아이가 쓰는 하나의 방. 나중에
각자의 방으로 나눠줘도 OK!

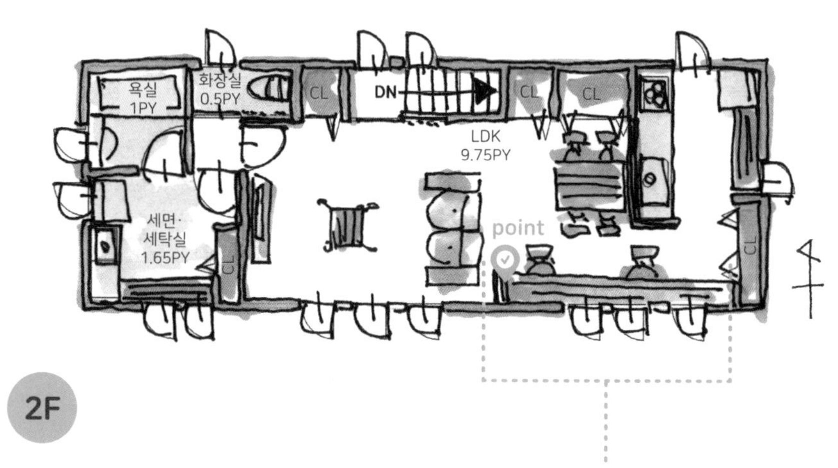

2F

수납력까지 좋은 긴 선반형 테이블에서는
취미도 숙제도 뭐든지 할 수 있다.

CASE 03

나만의 멋진 비밀 공간

맞벌이 부부가 늘어난 요즘, 요구되는 평면 또한 '편리하게 생활할 수 있는 공간 배치'입니다. 이 집의 경우 2층 각 방에는 별도의 옷장을 설치하지 않았습니다. 왜일까요? 그것은 바로 가족이 '편리함'을 원했기 때문이죠. 가족 모두의 옷을 세탁실 옆 수납공간에 정리했습니다. 이렇게 함으로써 빨래가 끝난 옷은 바로 접어 제자리에 넣을 수 있어요. 이것을 일일이 개개인의 방에 다 가져다 둔다고 생각해보세요. 지치지 않나요? 만약 1층에 수납공간이 부족하다 한들 걱정하지 마세요. 2층 바닥 아래도 물건을 넣어둘 장소를 마련해두었으니까요. 그리고 '비밀의 방'. 팬트리 겸용 공간인데, 원래 목적인 수납은 물론 아늑함을 살려 아이와 함께 책을 읽거나 간단한 취미 활동을 하기에도 좋습니다.
인테리어는 자유롭게 하면 됩니다. 딸이 성인이라면 침실 바닥은 헤링본 패턴으로, 벽은 그레이 컬러, 천장은 포인트 무늬가 있는 수입 벽지로 마감해주면 무난할 것 같아요. 가족 개개인의 행복이 모여 모두가 즐거운 공간이 만들어집니다.

면적 101.86㎡ | **1F** 60.45㎡ | **2F** 41.41㎡

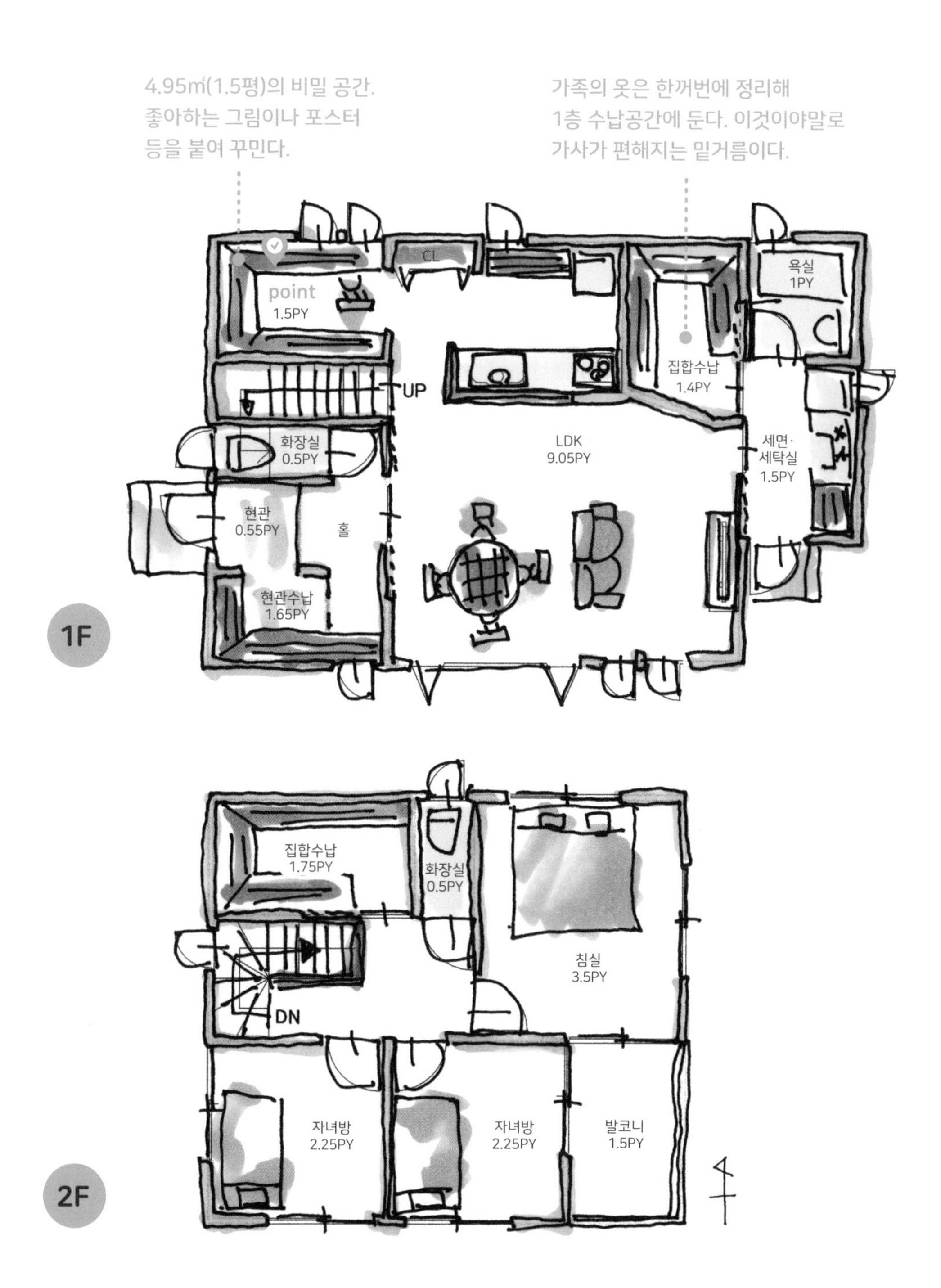

CASE 04

가족의 물건을 모두 한곳에?

여러분은 아침형 인간입니까? 저녁형 인간입니까? 저는 최근 아침형 인간이 되었습니다. 새벽 4시만 되면 눈이 떠지죠. 나이가 들어 그런 건 아닙니다! 하하. 창문에 커튼이 없어서인지 날이 밝으면 자동으로 잠이 깨요. 이 집의 주인도 아침형 인간입니다. 매일 눈을 뜨면 주방으로 가 아침을 준비하고, 안쪽 세탁실에서 빨래합니다. 어제 말려둔 세탁물은 바로 옆 집합수납공간, 즉 가족의 물건이 모두 모인 이곳에서 정리하죠. 선반형 테이블을 놓아 화장하거나 간단한 집안일을 하기도 해요. 테이블 옆에는 창이 있어 늘 빛이 가득하고요. 2층에도 똑같이 집합수납공간을 두었어요. 수영복, 스키복 등 계절복과 일 년에 몇 번 입지 않는 옷가지 및 소품 등을 챙겨뒀습니다. 적재적소에 수납하고 동선까지 좋으면 바쁜 아침에도 서두르지 않고 여유 있게 준비할 수 있어요. 이처럼 소소한 부분에서도 스트레스받지 않는 집을 만드는 게 무엇보다 중요합니다.

면적 96.88㎡ | **1F** 59.62㎡ | **2F** 37.26㎡

웬만한 건 다 들어가는 8.26㎡(2.5평)의
대형 수납공간으로 집 안을 깨끗하게 정돈한다.

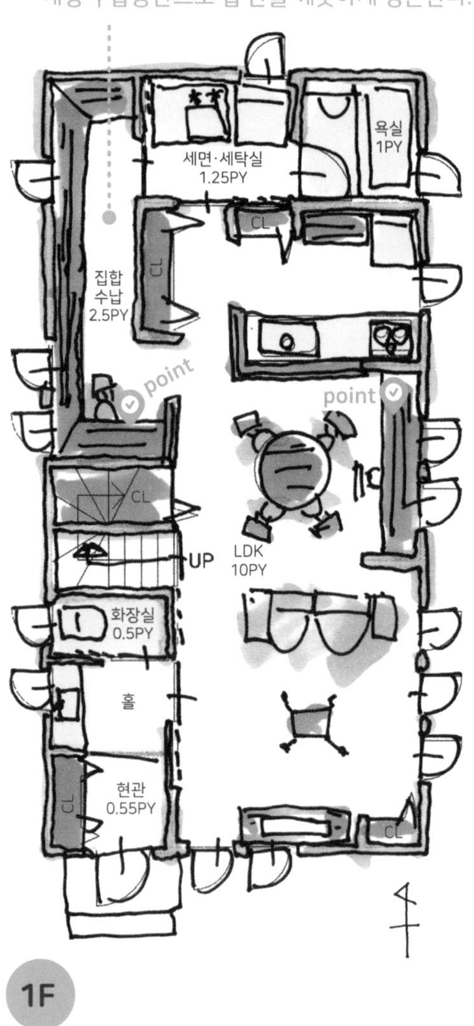

수납공간이 계단 옆에 배치되어
동선 및 사용이 편리하다.

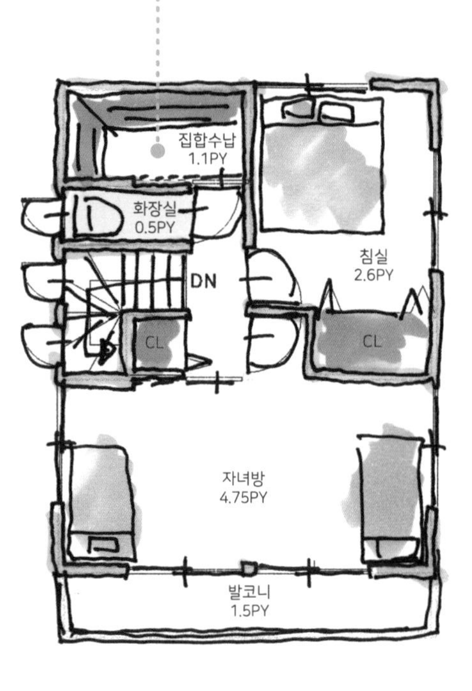

CASE 05

좁은 집에서도 자연채광을 만끽할 수 있어요!

이 집은 89.42㎡(27평)입니다. 평수가 그리 큰 편은 아니지만, 3LDK(3개 침실과 거실, 주방)에서 세면·세탁실이 무려 6.6㎡(2평)를 차지합니다. 그리고 그 옆에 4.95㎡(1.5평)의 수납공간을 마련했죠. 크기가 작아도 수납할 수 있는 장소 만큼은 면적을 많이 할애했습니다. 지금은 신혼부부가 살고 있지만, 추후 자녀 계획이 있어 1층에 아이방을 만들었어요. 그러나 아이가 그 방을 온전히 혼자 사용하게 될 시기는 아마 10년, 그 이상 지난 후의 이야기. 따라서 아이방은 우선 부부의 취미실로 활용할 계획입니다. 아내는 요가를, 남편은 모형 장난감 조립에 열중할 수 있는, 그런 곳으로 말이죠.
아이가 어릴 땐 조금 넓은 침실에서 가족 모두 함께 잘 것입니다. 만약 둘째가 생긴다면 가벽을 세워 부부 침실과 아이방을 분리해도 좋아요. 생활방식에 맞춰 변화하는 집을 목표로 설계하다 보니 이와 같은 평면이 계획되었습니다.
집을 지으며 특히 간과해선 안 될 부분이 바로 창문. 행복한 집의 조건은 채광, 통풍, 수납과 동선이라고 여러 번 언급했는데, 그중에서도 채광은 정말 중요합니다. 따스한 아침 햇살을 받은 사람은 늘 기분 좋은 하루를 시작할 수 있으니까요!

면적 89.42㎡ | **1F** 44.71㎡ | **2F** 44.71㎡

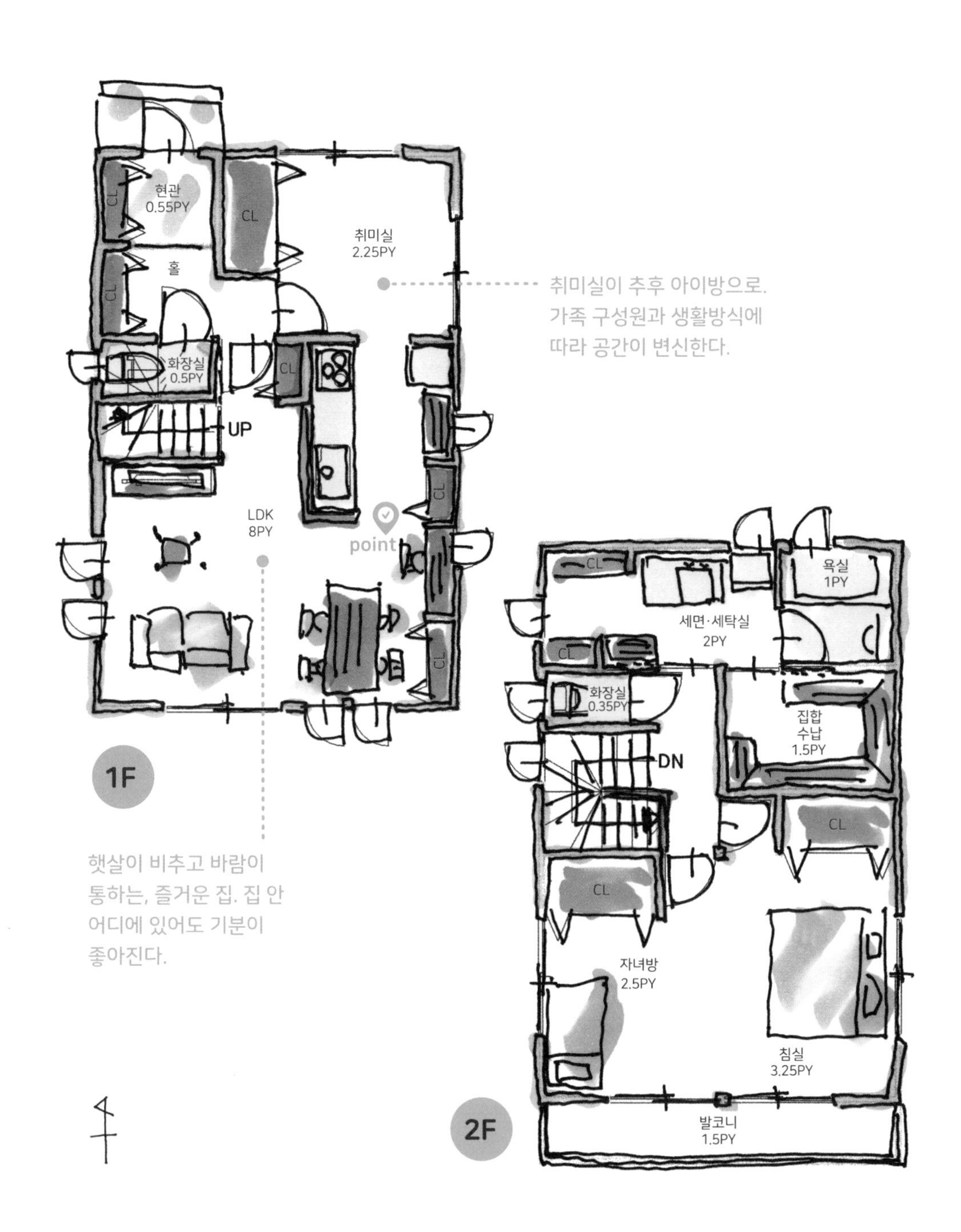

CASE 06

요리를 좋아하는 가족에게 안성맞춤인 5.4m의 선반

이번에는 LDK가 약 40.5㎡(12.25평), 세면·세탁실이 6.6㎡(2평)를 차지하는, 면적 104.34㎡(32평)의 집입니다.
수납공간은 무조건 만들기만 한다고 되는 게 아닙니다. 적재적소에 배치하는 것이 중요하죠. 현관과 거실, 주방에 각각 알맞게 두어야 합니다. 이 집은 밥솥, 믹서기 등 소형 가전들은 모두 안 보이게 정리하여 깨끗한 주방을 완성했습니다. 그리고 5.4m 길이의 선반형 테이블을 놓았죠. 요리를 좋아하는 아내가 잠깐 쉬거나 책을 읽는 등 다양한 활동이 이뤄지는 휴식처가 되어줍니다. 물론 남편을 위한 공간도 잊지 않았습니다. 운동화 마니아인 남편을 배려해 현관에는 넓은 신발장을 마련했어요. 이제 보관 장소에 대한 걱정만큼은 덜었을 겁니다. 아이 자전거와 정원용품 등도 넣을 수 있게 넉넉한 크기로 계획했으니 이보다 더 편리할 순 없겠죠?

면적 104.34㎡ | **1F** 52.17㎡ | **2F** 52.17㎡

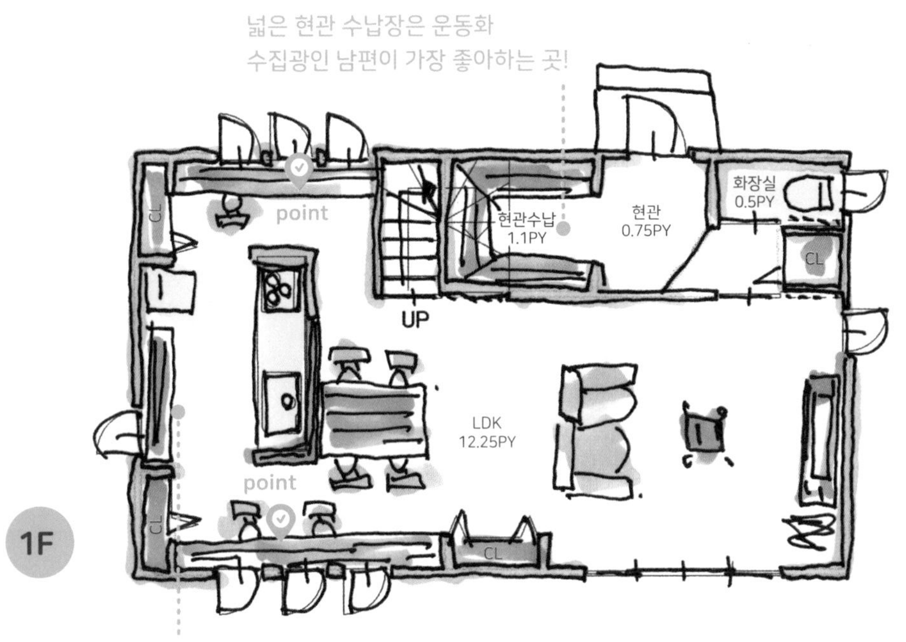

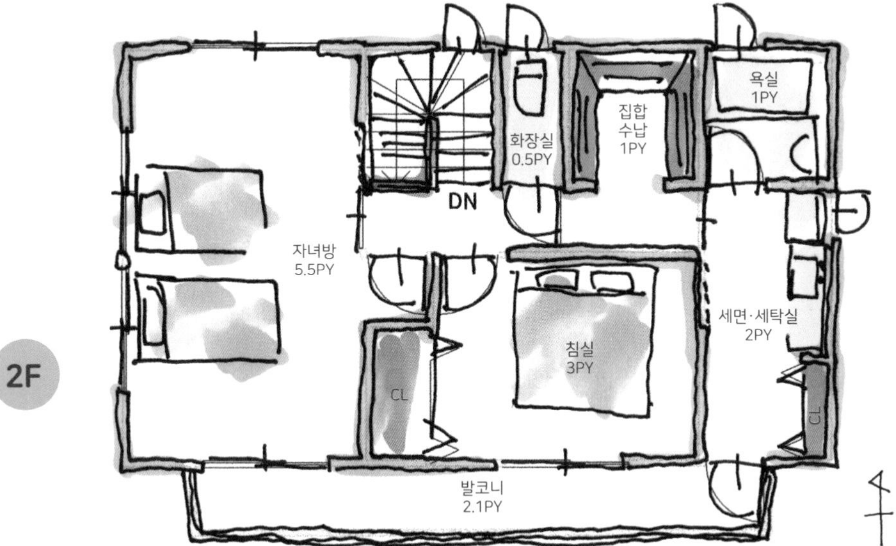

CASE 07

카페? 공방? 어떻게 사용하느냐에 따라 달라지는 공간

도면에 'point'라는 표기가 보이시나요? 이 공간에 관해 설명하자면, 먼저 푹신한 소파를 둔 카페와 같은 공간, 재봉틀을 놓고 아이 옷을 만들 수 있는 공간 등 즐거운 일이라면 뭐든지 해도 좋은 방을 뜻합니다.

그리고 또 하나, 이곳은 사적이고 비밀스러운 방입니다. 좋아하는 음악을 듣거나 영화를 보며 혼자만의 시간을 보내는.

이런 방은 다른 실과 벽지 색상을 달리하거나 입구에 포인트 벽을 설치해주면 기분이 한층 더 고조될 수 있습니다.

면적 99.99㎡ | **1F** 57.76㎡ | **2F** 42.23㎡

수납공간을 넓혀
사용하기 편리하도록!

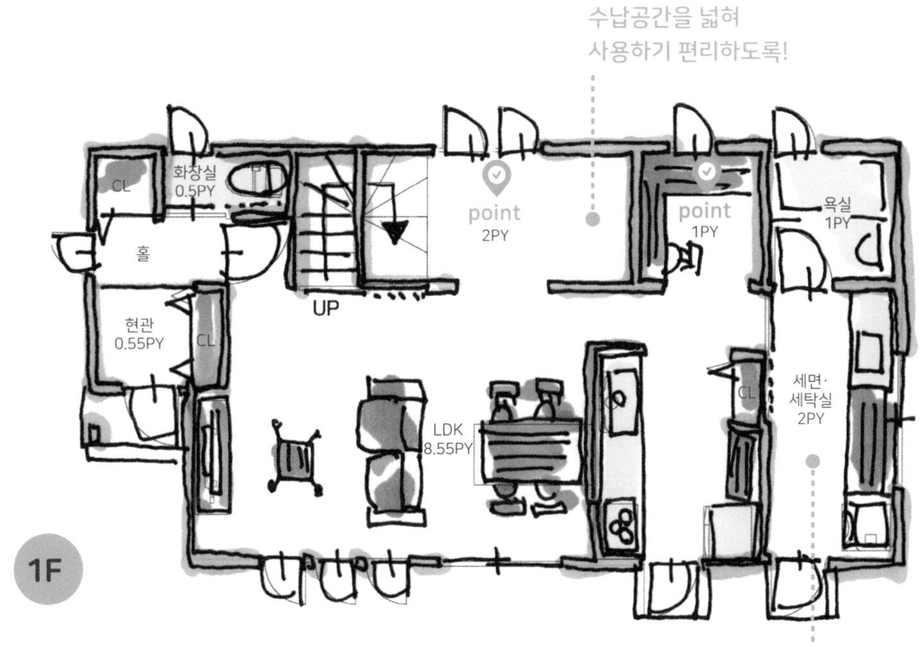

긴 세탁실은 실내에서
빨래를 말리기 좋다.

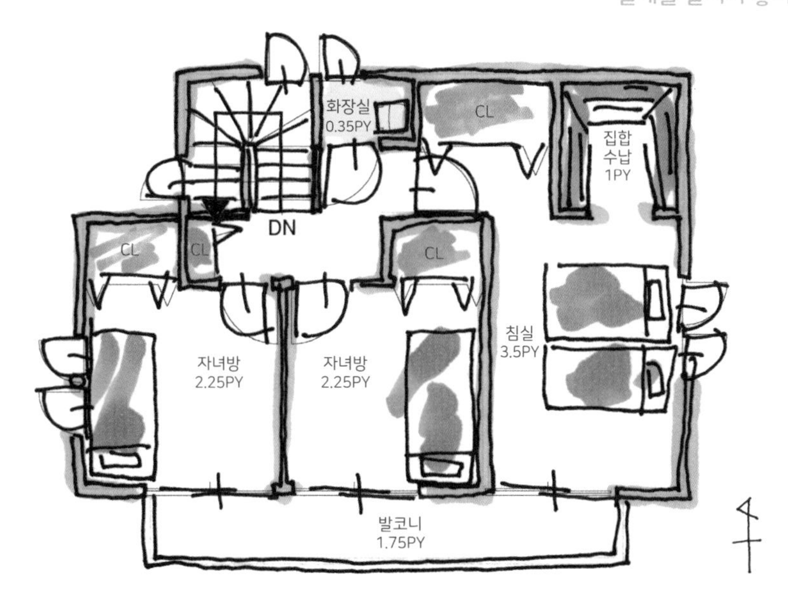

CASE 08

빨래 건조대 바로 옆으로 배치한 수납공간

얼마 전, 뉴스를 보니 최근 일본에서는 빨래를 실내에 너는 가정이 많아졌다 합니다. 그러고 보니 '실내 건조에도 냄새 걱정 없다!'는 세제 광고도 요즘 부쩍 눈에 띕니다. 사람들이 실내 건조를 선호하는 데는 다 이유가 있습니다. 밖에 빨래를 널다 갑자기 비가 내리면 스트레스를 안 받을 수 없고, 만약 가족 중에 알레르기가 있다면 꽃가루도 신경이 쓰이니까요.
그래서! 집안일 하는 아내들의 스트레스를 조금이라도 덜어주고자 2층에 '빨래 건조실'을 만들었습니다. 그곳에 빨래를 널고, 마르면 바로 개어 한꺼번에 정리합니다. 그리곤 자연스럽게 수납까지 이어지죠. 이렇게 집합수납을 하면 앞서 언급한 대로 일일이 세탁물을 들고 각 방으로 갈 필요가 없습니다. 또한, 빨래 건조 겸용 수납 행거를 두면 두 번 일하지 않아도 되니 더욱 편리해요. 가사 노동 시간을 단축할 수 있음은 두말하면 잔소리고요.
이 집은 현관도 기막힙니다. 현관에 세면대를 설치해 외출 후 즉시 손을 씻고 양치질을 할 수 있습니다. 게다가 손님이 욕실까지 가지 않아도 되므로 가족의 사적인 공간도 지켜집니다.

면적 99.36㎡ | 1F 54.65㎡ | 2F 44.71㎡

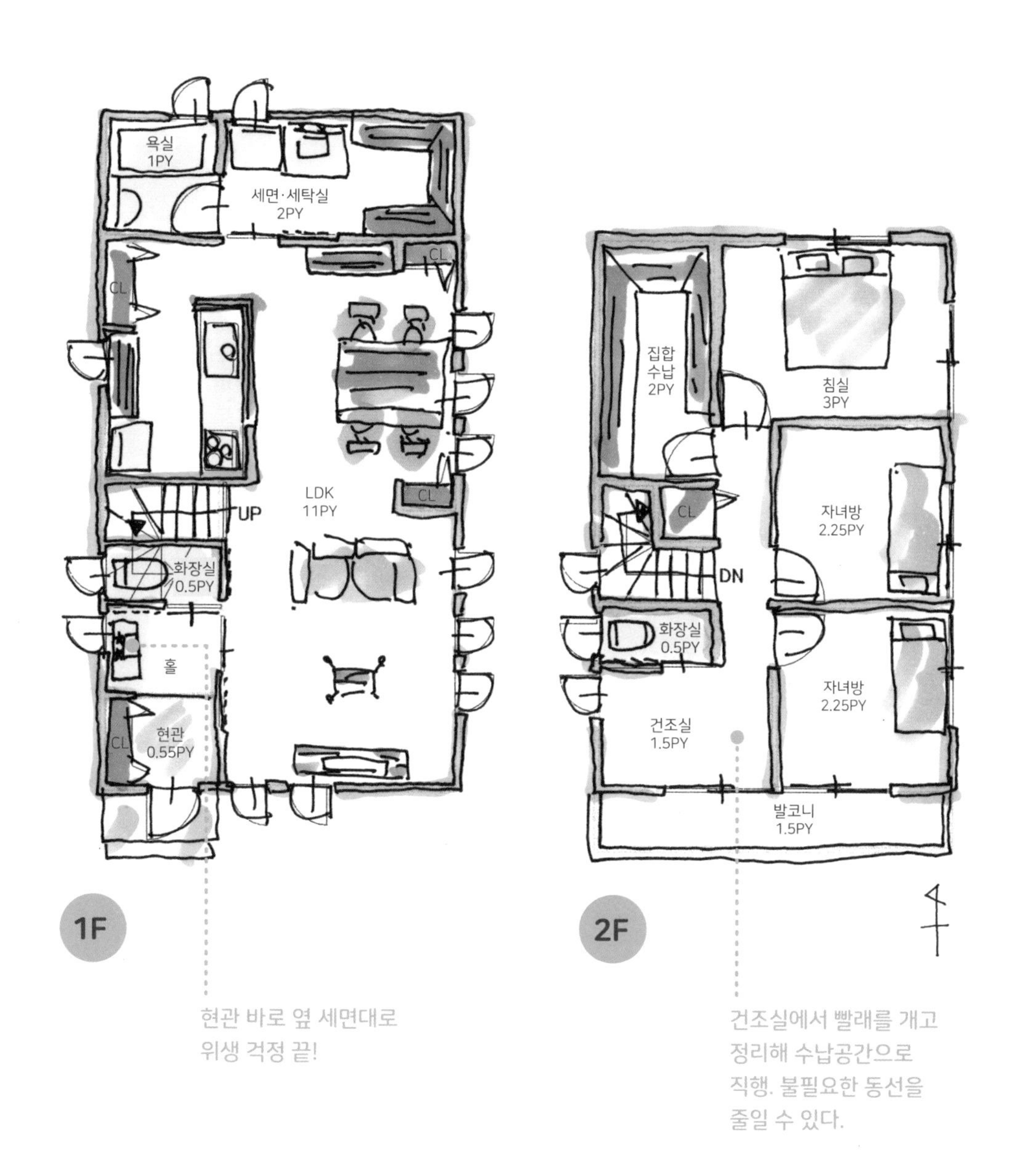

현관 바로 옆 세면대로
위생 걱정 끝!

건조실에서 빨래를 개고
정리해 수납공간으로
직행. 불필요한 동선을
줄일 수 있다.

CASE 09

잊지 말아야 할 주방과 세탁실의 연계

이 집은 세면·세탁실이 6.6㎡(2평)라 그 근처에 2.48㎡(0.75평)의 수납공간을 별도로 두었습니다(2층 수납공간은 무려 9.9㎡). 그래서 가족의 홈웨어, 속옷, 수건 등을 모두 한곳에 놓을 수 있죠. 게다가 주방 옆이라 가사 동선도 아주 Good!
현관에는 대용량의 수납장과 저의 단골 메뉴, 세면대도 설치하였습니다. 주방 조리대의 연장 선상에는 식탁을 두어 아내는 요리하면서 가족과 소통할 수 있습니다. 주방 뒤쪽은 길이 6.37m의 공간이 있어 수납량 최강! 특히 이곳은 천장에 펜던트 조명을 달거나 오픈 선반을 놓아 다양한 디자인 변경도 가능하니, 자신만의 스타일로 꾸며 공간에 변화를 주세요.
창문을 둔 덕분에 채광도 완벽하고, 거실 문 옆으로 청소기, 비상약, 공구 등 잡다한 물건들을 정리해 105.99㎡(32평)의 깔끔한 집을 완성했습니다.

면적 105.99㎡ | **1F** 61.28㎡ | **2F** 44.71㎡

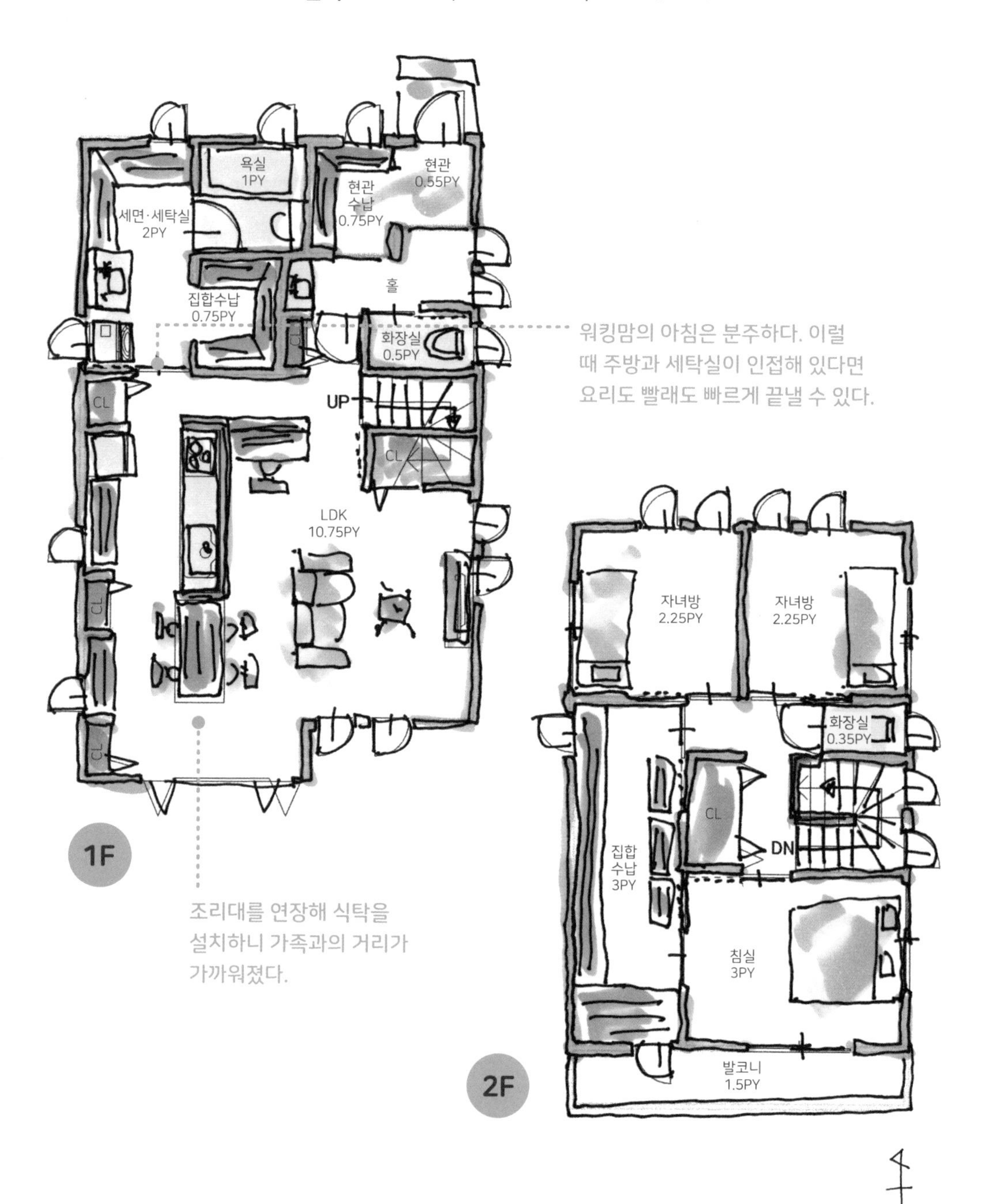

가족의 얼굴이 보인다!
움직이기 편하다!

두근두근 설레는 주방

자신이 좋아하는 것들에 둘러싸여 있으면 기분 좋아지지 않나요?
요리하는 주방이 즐거운 장소가 되면 하루하루가 더욱 Happy!

가벽을 세워 시선 차단

가장 중요한 점은 모스그린(Moss Green) 색상의 벽과 화이트 벽의 높이. 여기서 화이트 벽이 단 10㎝라도 높거나 낮아선 안 됩니다. 벽이 낮으면 그 너머 수전이나 세재 등으로 지저분해 보일 수 있기 때문에 높이를 계산해 제작했습니다.

모든 치수의 절묘한 조화

그레이베이지와 화이트, 그리고 블랙 컬러가 어우러진 주방. 멋지면서도 기품이 느껴지는, 왠지 어른스러운 공간입니다. 주방 상부 수벽(袖壁)의 높이와 아치의 각도를 고려해 디자인하고, 줄무늬 벽지로 포인트를 주었습니다. 호텔 같은 느낌이 나서 제가 좋아하는 장소입니다.

모자이크 타일의 마술

천장의 모자이크 타일은 이 주방의 포인트! 타일 폭에 따라 공간이 좁게 느껴질 수 있으므로 주의해서 시공합니다. 우측 안쪽 문은 세탁실 입구로, 주방에서 편하게 연결되는 동선에 중점을 두었습니다.

화이트×블랙의 조화

대각선 격자무늬, 가구와 천장의 화이트 컬러가 잘 매치된 주방. 타일의 각도가 이국적 분위기 조성에 한몫했습니다. 이 집 역시 주방과 안쪽 세탁실이 자연스럽게 이어집니다.

펜던트 조명 하나면 끝!

아침은 바 테이블에 앉아 먹고 싶다는 건축주의 요청으로 탄생한 장소. 펜던트 조명으로 간단하게 카페 같은 느낌을 연출하였습니다. 디자인적인 요소가 가미된 소품들을 곳곳에 놓아주면 분위기를 더욱 살릴 수 있겠죠?

보이는 수납으로 불필요한 집안일 감소

주방용품이 한눈에 보일 수 있게 수납한 주방.
'문을 연다'라는 한 가지 동작을 줄이는 것만으로도
가사가 훨씬 수월해집니다. 오른쪽은 뒷문으로 나가는
문인데, 갑자기 뒷문이 나타나면 미관상 보기 좋지 않을
것 같아 일부러 또 하나의 문을 달아주었습니다.

군더더기 없는 천장으로 개방감을
노란색 문으로 공간을 강조한 주방.
굳이 벽으로 다이닝룸과 나누기보단
개방감 있는 공간을 지향했습니다.
이처럼 조금 비어 있는 듯한 공간을
선호하는 것도 최근 주택 경향입니다.

다른 마감재로 멋진 공간 완성
검정 바닥 타일에 백색 줄눈, 나무
천장은 오일스테인 도장으로 멋지게.
그 외 마감은 화이트 컬러로 통일하여
세련된 공간을 완성했습니다.
오른쪽 선반형 테이블 위에 수벽을 붙여
역할 다른 두 영역을 구분 지어줍니다.

생활감을 숨기고 싶다면 '주방 부스'가 정답

일상 생활 속 군더더기를 조금 가리길 원한다면 주방 부스를 설치하는 것도 하나의 방법. 카페풍으로 주방을 만들고 싶다는 요청에 의해 탄생한 것인데, 주방에서 식당이나 거실은 보고 싶지만 생활감은 차단하고 싶다면 부스를 추천합니다.

두 가지 색상으로 균형미 살린 주방

이곳은 건축주의 단골 카페에서 아이디어를 얻었습니다. **배색을 고려하여 블랙 컬러를 중심으로 하되, 상부 유리 부분을 연결하는 기둥은 오크(Oak)를 선택했습니다.** 덕분에 주방의 다채로움이 전해집니다.

2

주택 평면 사례

CASE 10-19 + COLUMN 2

CASE 10

작은 부분도 꼼꼼하게!
수납력을 높여줄 테이블 서랍

평면에서 중요한 4가지는 '채광', '통풍', '수납', '동선'입니다.
자연광이 들어오고 통풍이 잘되면 집이 쾌적할 수 있습니다. 거기에 적재적소 수납공간과 편하게 집안일을 할 수 있는 동선까지 확보되면 말 그대로 최상의 조건이죠.
이 집의 동선이 잘 정리되었다는 건 도면을 통해서도 알 수 있습니다. 먼저 주방에서 세탁실이 가깝고, 거실에서 복도 없이 바로 2층으로 올라갈 수 있어요. 또한, 계단에는 미닫이문을 달아 새는 열을 잡아줍니다. 즉, 냉난방 비용에 대한 걱정도 없어요. 빛과 바람이 잘 통하는 건 당연하고요.
3.5m의 긴 선반형 테이블에는 서랍을 추가했습니다. 여기에서 가족과 함께 먹는 아침, 상상만으로도 기분 좋아지지 않나요?
수납공간은 현관과 2층에 충분히 두었습니다. 선반은 깊지 않게 설치했고요. 그 이유는 선반 폭을 넓게 하면 앞뒤로 물건을 겹쳐둘 확률이 높아, 없어진 물건을 찾을 때 일일이 다 꺼내 봐야 하는 수고를 하게 되죠. 정리 수납 어드바이저인 제가 하는 조언은 꼭 새겨듣길 바랍니다.

면적 103.09㎡ | **1F** 58.38㎡ | **2F** 44.71㎡

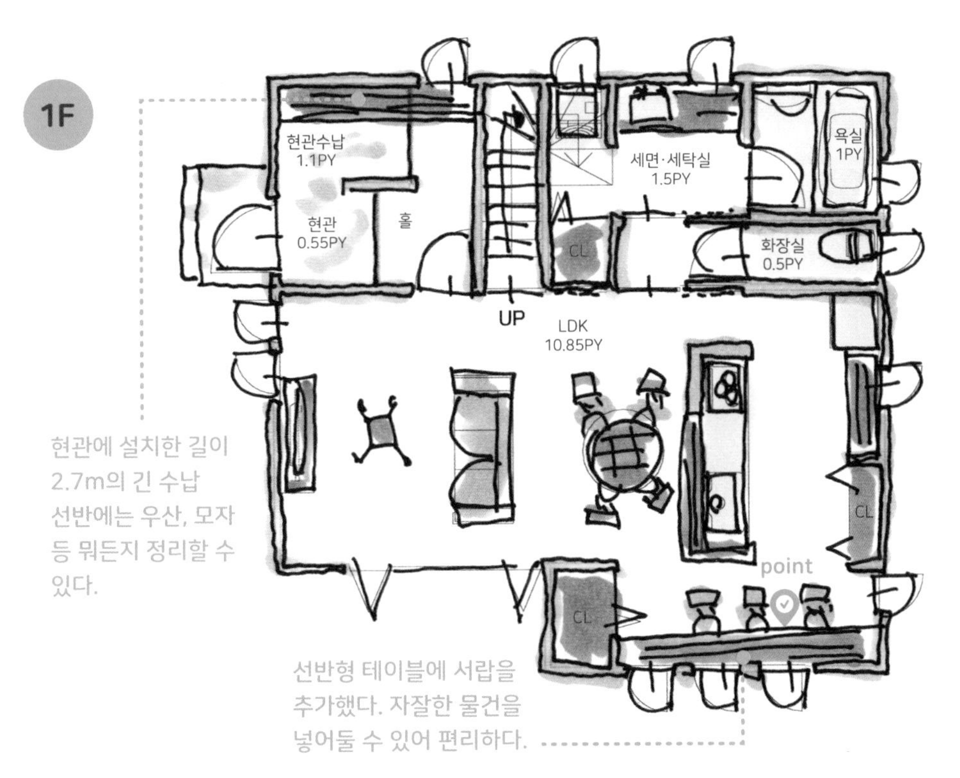

현관에 설치한 길이 2.7m의 긴 수납 선반에는 우산, 모자 등 뭐든지 정리할 수 있다.

선반형 테이블에 서랍을 추가했다. 자잘한 물건을 넣어둘 수 있어 편리하다.

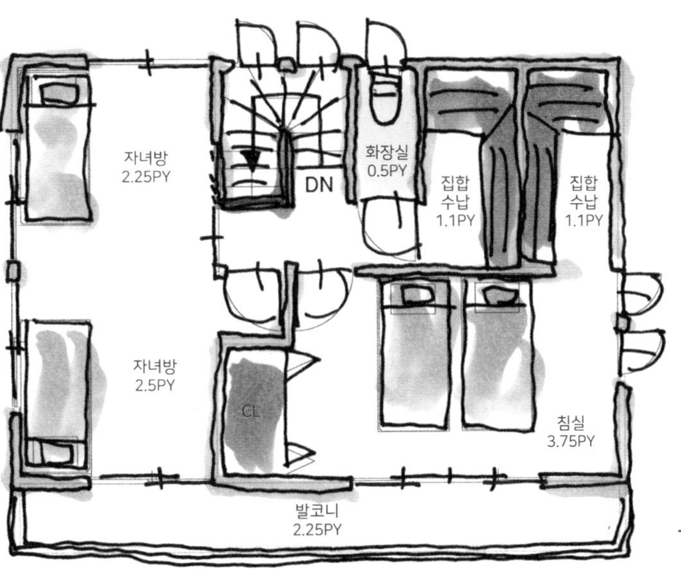

CASE 11

거실에선 집안일을 잠시 잊자!
분리된 LDK

저녁 설거지를 끝내고 거실에서 겨우 한숨 돌릴 때, 주방이 시야에 들어온다면? 아마 마음 놓고 편히 쉬기 힘들 겁니다. '내일 분리수거하는 날이라 정리해 두지 않으면…'이라든지, '아이 도시락 반찬을 미리 조리해둘까…'라든지, 여러 가지 생각이 들죠. 특히 대부분 워킹맘은 쌓인 집안일로 휴식을 취하기도 어렵습니다. 그래서 그런 귀중한 휴식시간을 소중히 여겨주었으면 하고 생각한 것이 바로 이 평면입니다.

거실과 주방 사이를 계단으로 분리하면 보일 듯 말 듯 두 공간이 연결은 되어 있지만, 나눠진 느낌을 연출해주죠. 눈에 보이지 않으니 조금이나마 편한 시간을 보낼 수 있을 테고요. 이 집 역시 방마다 수납공간을 두지 않고, 여기저기 오가지 않아도 되는 가족 모두의 집합수납 장소를 2층에 만들었습니다.

면적 99.36㎡ | **1F** 54.65㎡ | **2F** 44.71㎡

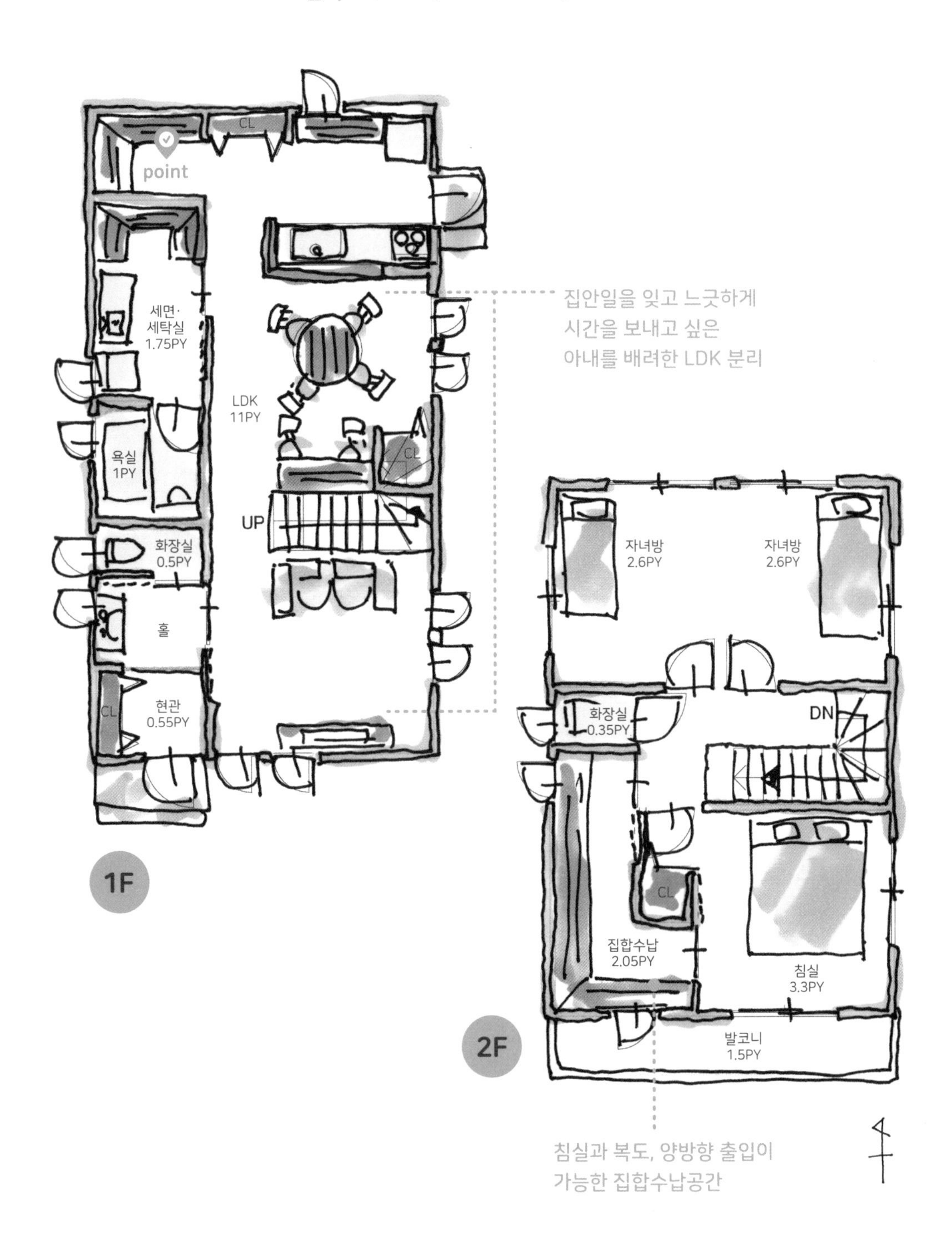

CASE 12

작은 토방의 다양한 쓰임새

도심 외곽, 조그만 텃밭이 있는 이 집의 가족구성원은 부부와 한 명의 딸, 그리고 두 아들. 남편은 자칭 DIY 마니아입니다.
아이들이 밖에서 뛰놀고 왔을 때나 부부가 텃밭에서 채소를 수확했을 때 활약하는 곳이 바로 **토방**(土房). 세탁실과 연결되어 있기 때문에 더러워진 옷을 세탁기에 넣고, 바로 옆 욕실에서 샤워할 수 있습니다. 집 안을 흙으로 더럽혀 엄마의 청소 시간을 늘릴 걱정도 없죠. 게다가 마당에서 방금 따온 신선한 채소를 임시 보관할 장소로도 좋습니다. 현관의 넓은 수납장은 텃밭 도구와 아이들의 축구공, 남편의 DIY 공구까지 수납할 수 있죠. 여기에 아내와 딸을 위한 탈의 공간 확보도 잊지 않았습니다. 근처에 드레스룸을 두면 옷 갈아입는 시간도 절약할 수 있어요.

토방(土房) | 봉당(封堂)이라고도 한다. 주택 내부에 있으면서 마루나 온돌을 놓지 않고 신발을 신고 생활하는 공간이다. 여기에 쪽마루를 놓는 경우도 있다.

면적 122.34㎡ | **1F** 83.84㎡ | **2F** 38.50㎡

여유 있는 현관 수납장은 다섯 식구의 물건을 뭐든지 담아낸다.

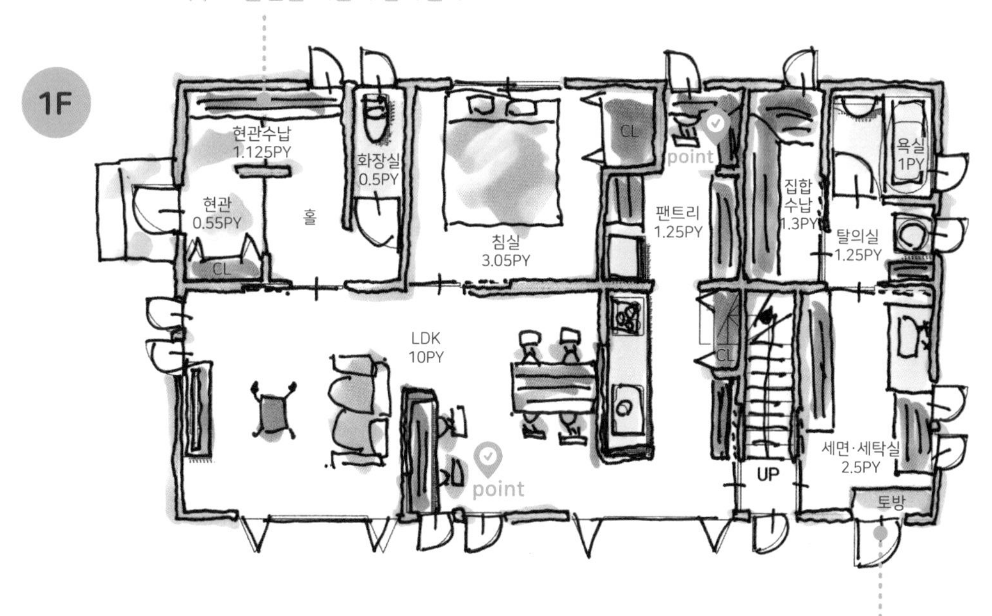

흙투성이 아이들은 토방에서 욕실로 직행. 토방은 텃밭에서 방금 딴 야채도 둘 수 있어 편리하다.

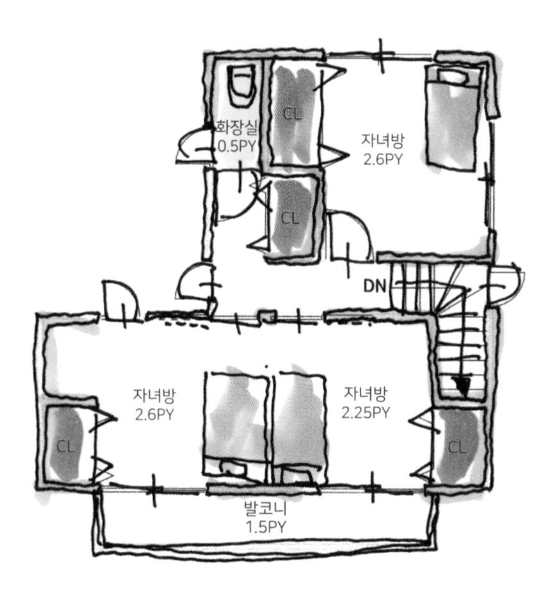

CASE 13

집에 놀러온 손님도 좋아하는 공간

친구나 친척 집을 방문했을 때 너무 큰 대접을 받게 되면, 고맙긴 하지만 조금 부담스러울 때가 있죠? 저는 그런 상황에 좀 약합니다. 오히려 적당한 거리감이 서로에게 편안함을 주기도 하니까요.
그래서 집을 방문한 누구든 사용할 수 있는 손님방에, 현관에서 바로 들어갈 수 있는 미닫이문을 달아 보았습니다. 손주의 얼굴을 보러온 할아버지와 할머니도 이런 구조라면 스스럼없이 머물다 가실 수 있지 않을까요?
평면도에는 안 나타나 있지만, 바닥 레벨이 올라와 있는 거실 쪽 입구에 서랍형 수납장을 설치했습니다. 뿐만 아니라 주방에서 팬트리, 주방에서 세탁실 등 가사동선의 편의도 고려했습니다.

면적 116.33㎡ | **1F** 74.10㎡ | **2F** 42.23㎡

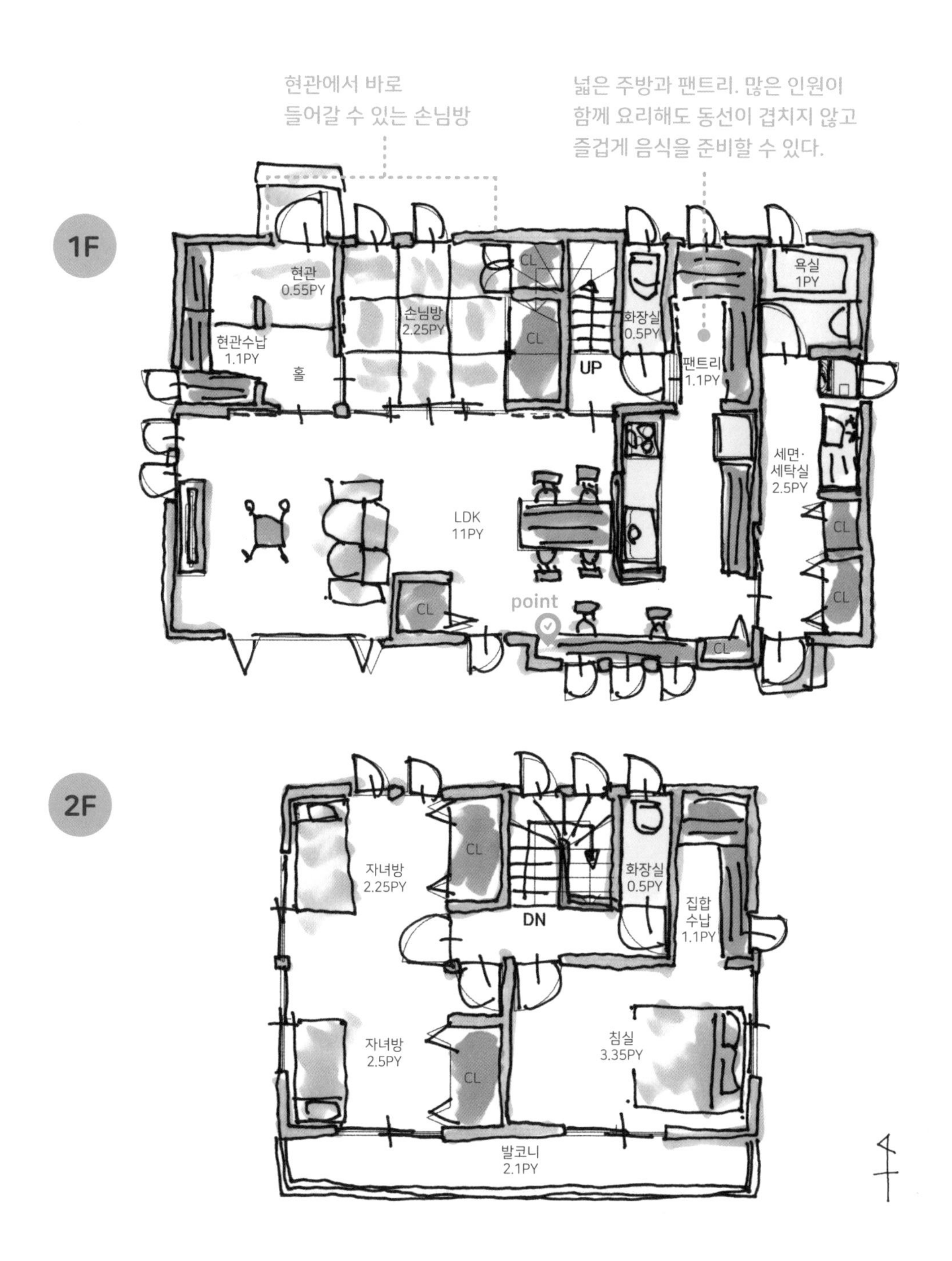

CASE 14

옷을 좋아한다면
2층 복도를 옷장으로!

이 집은 창을 잘 활용했습니다. 일단 거실 남쪽에는 큰 창문이 있고, 다이닝룸 북쪽에는 창밖의 경치를 즐길 수 있는 그림창을 두었습니다. 그리고 창 중에서도 가장 눈에 띄는 것이 현관에 들어서자마자 보이는 유리창! 주방의 윗부분만 보이게 하고, 아래 빈티지 수전을 달면 더 세련될 것 같네요. 또한, 거실과 주방 사이에도 대형 투명 창을 설치했어요. 이 창은 집을 레스토랑 같은 분위기로 만들어줍니다.

거실 옆방은 뭐든지 수납할 수 있습니다. 이곳은 바닥 레벨을 한 단 올리고 카펫타일을 붙여 멋진 피팅룸으로 디자인해볼 계획이에요. 아이방에는 수납장을 없애고, 2층 복도에 오픈 수납장을 두어 옷가게처럼 꾸며줬습니다.

면적 105.98㎡ | **1F** 52.99㎡ | **2F** 52.99㎡

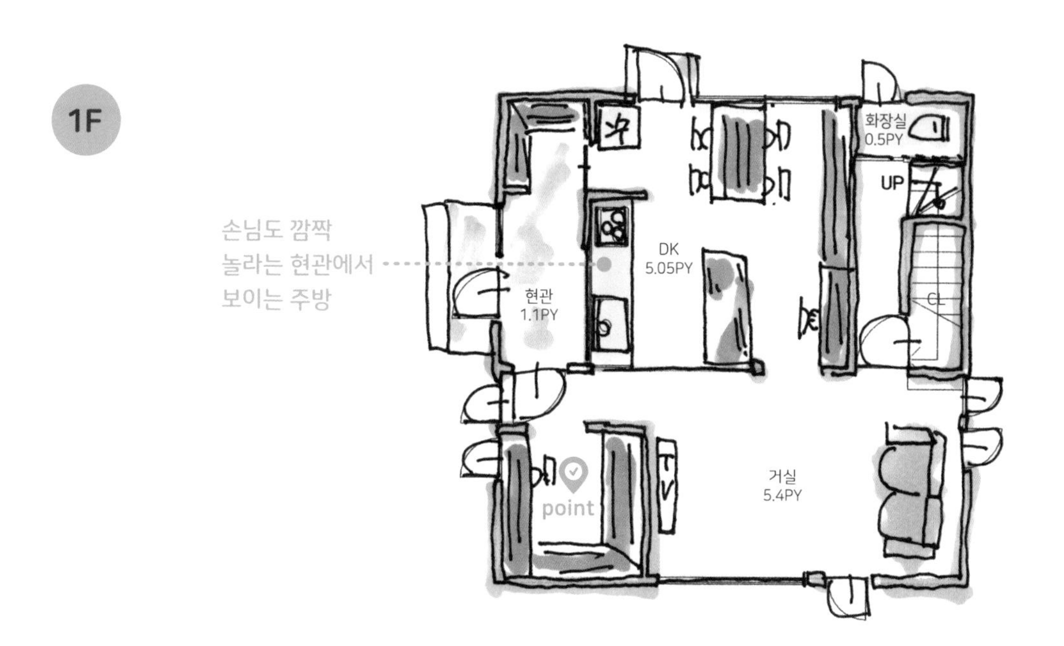

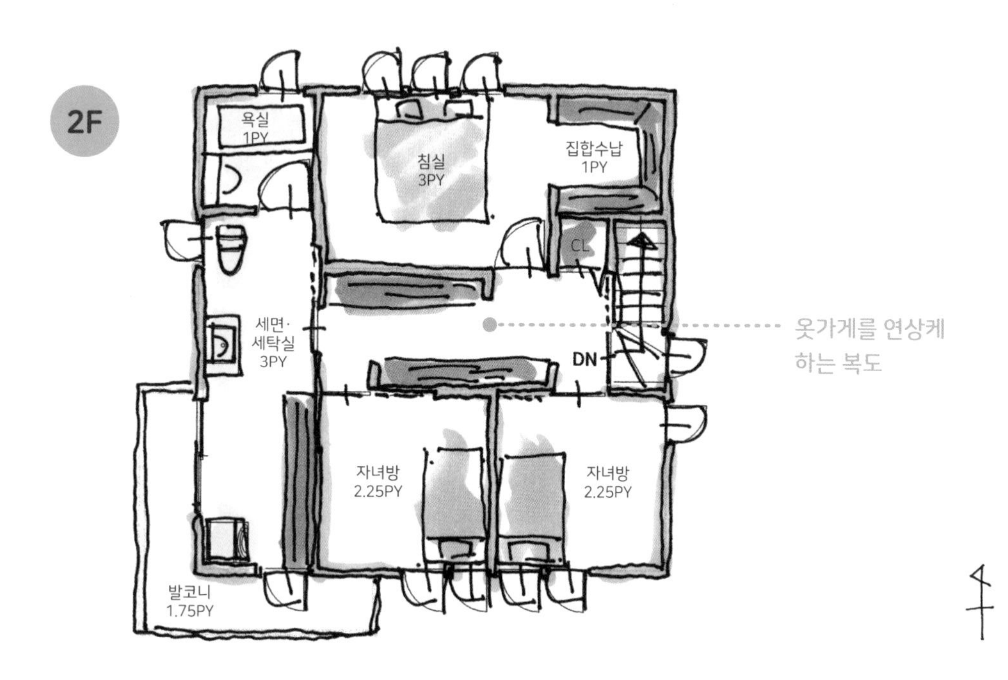

CASE 15

이국적인 주방 디자인

'어떤 주방이 좋아요?'라고 물으면, '대면식 주방'이라고 대답하는 분들이 많을 겁니다. 저에게 집짓기 상담을 하시는 대부분 건축주가 그렇게 대답합니다. 하지만, 대지의 폭이 좁으면 대면식 주방으로 만들기 어렵습니다.

이 집도 대면식 주방은 힘든 상황이었죠. 그러나 이럴 때야말로 제 의욕이 불타오릅니다. 쓰기 편하고 디자인까지 가족 모두 만족하도록 해야겠죠? 방법은 어렵지 않습니다. 주방 천장 높이를 3cm 정도만 올린다든지, 식당과 주방의 벽지를 바꾸어 공간을 구분한다든지, 식탁 위에 조명 레일을 둔다든지. 평면도만 보면 잘 알 수 없겠지만, 열심히 그 모습을 상상해 보세요!

선반형 테이블에는 아기자기한 주방 가전을 놓고, 허리 높이 정도의 창문을 설치합니다. 이렇게 완성된 주방은 이국적인 느낌이 물씬 묻어나게 되죠.

면적 105.57㎡ | **1F** 55.89㎡ | **2F** 49.68㎡

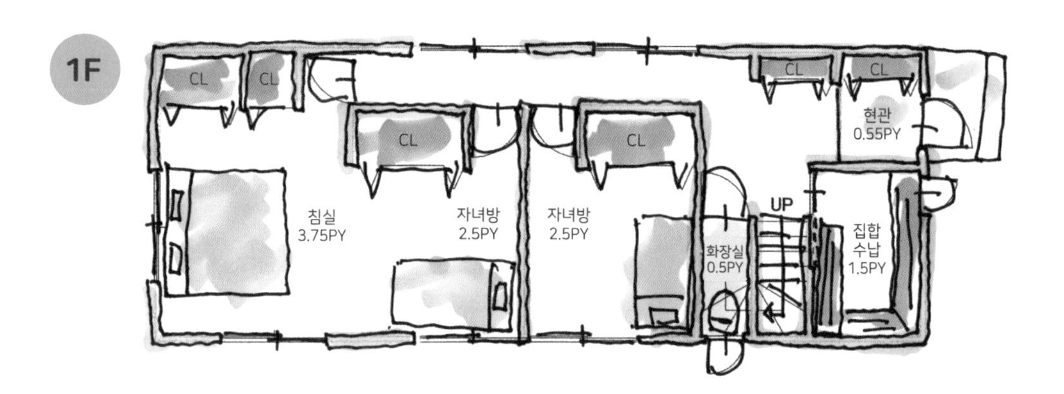

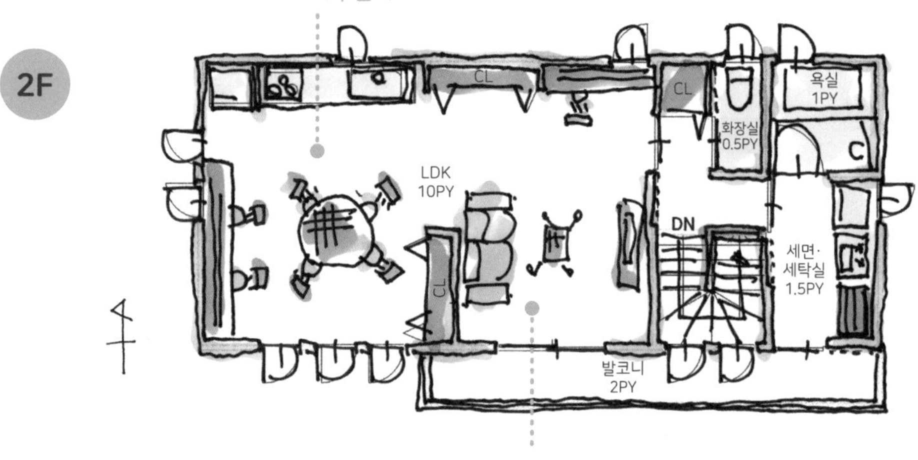

CASE 16

미닫이문을 설치해 항상 개방적인 집

눈치 챘을지 모르겠지만, 이 집의 1층 문은 거의 미닫이문이에요. 거실, 화장실, 계단, 세탁실, 모두 미닫이문이죠. 여닫이문은 미닫이문보다 '닫았다'는 느낌이 강해요. 반대로 말하면, 미닫이문은 개방감이 크다는 뜻도 됩니다. 문을 열어 둔 채로 있는 경우도 많으니까요. 미닫이문 자체가 공간에 방해를 주지 않기 때문에 이를 설치함으로써 집이 넓게 느껴지고, 동선도 좋아집니다. 특히 좁은 땅에 집을 짓는다면, 미닫이문을 권합니다. 이 집은 면적이 98.12㎡(29평)에 불구해 미닫이문을 설치하고 수납에 충실했어요. 2층 방마다 옷장을 설치해주었는데, 부부 침실에 있는 옷장은 아내용과 남편용 각각 따로 두었습니다. 상담을 하다 보면 침실은 함께 쓰지만, 옷장은 각자 사용하고 싶다는 부부가 의외로 많습니다. 하나의 옷장을 사용할 경우, 어느 한쪽이 제대로 정리를 못 했을 때 이 또한 다툼의 발단이 되지만, 따로 쓰면 크게 문제 될 소지가 없죠. 가벽을 세워 'L'자형으로 배치하면 수납공간도 늘리고 디자인도 좋아집니다. 부부의 원만한 생활을 위한 열쇠를 옷장이 쥐고 있다고 해도 과언이 아닙니다.

면적 98.12㎡ | **1F** 52.17㎡ | **2F** 45.95㎡

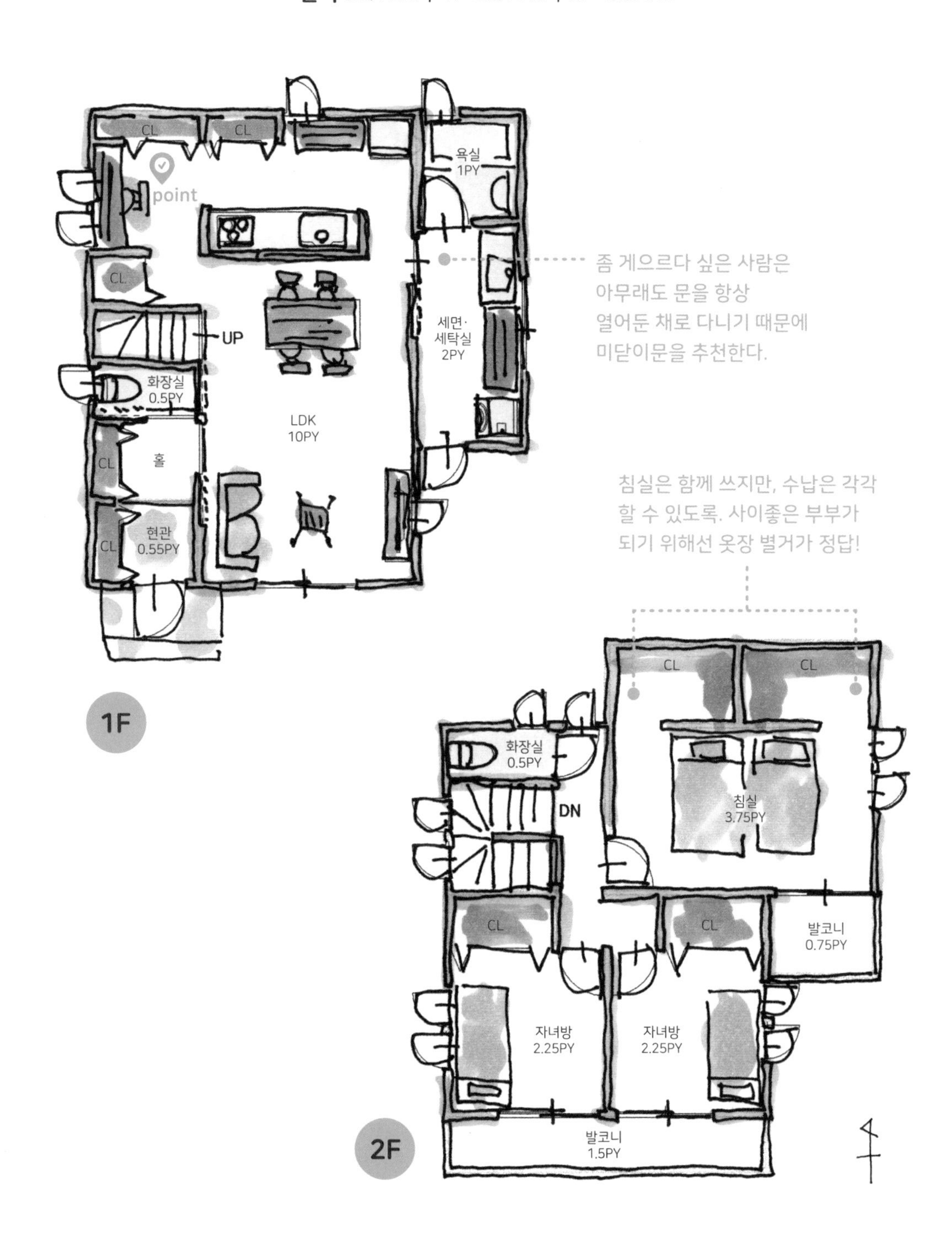

CASE 17

가족의 이상이 담긴 단층집

SNS 댓글 중에, '단층 평면이 보고 싶다!'는 요청이 많아 이에 부응하고자 단층 버전의 평면을 소개합니다.
주방에는 3.5m의 선반형 테이블이 있습니다. 그 앞엔 세련된 카페에 있을 법한 '창문'을 배치했죠. 아이가 테이블에 앉아 숙제하는 모습을 지켜볼 수 있고, 커피를 마시며 정원에서 노는 광경을 흐뭇하게 바라볼 수도 있습니다. 식사하거나 재봉틀을 두고 취미활동을 하는 등 이곳에선 여러 가지 즐거운 일들이 많이 일어납니다.
주방 바닥에 둔 휴지통이나 매트가 눈에 띄면 지저분할 수 있으니 이런 부분이 거실에서 보이지 않게 조리대 옆에 수납장을 겸한 벽을 설치합니다.
무엇보다 이 집은 단층이라 동선도 좋습니다. 화장실은 모든 방과 연결될 수 있도록 하고, 관련 있는 실끼리는 인접하게 배치했죠. 거실이나 현관에도 완벽한 수납공간을 두었습니다.

면적 96.88㎡

집안일이 술술 되는 이유는
적재적소의 수납공간과 동선
계획이 잘 된 평면 구조 덕분!

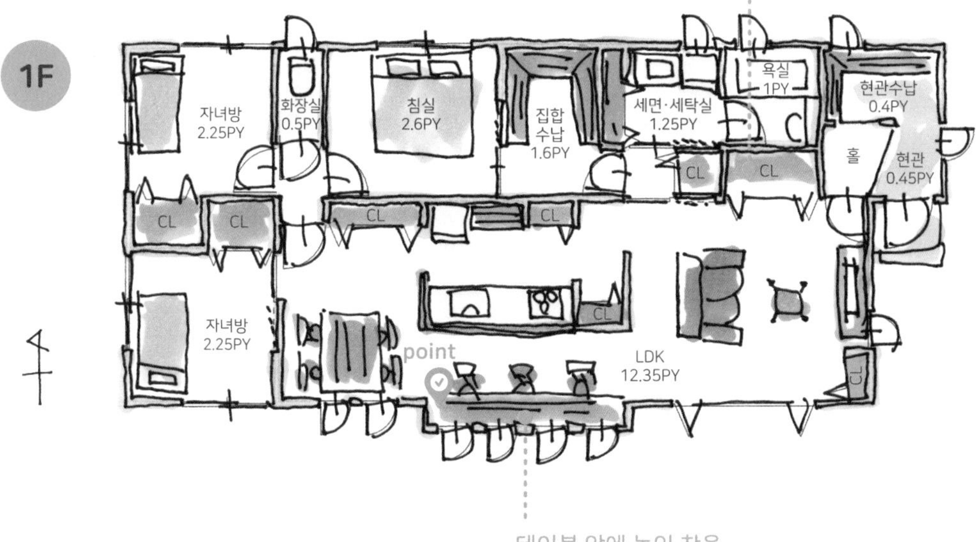

테이블 앞에 놓인 창을
통해 아이가 밖에서 뛰노는
모습이 보인다.

CASE 18

수납공간이 많아 든든한 협소주택

저는 일본에서 '정리 수납 어드바이저 2급'을 취득했습니다.
'정리 수납을 배우지 않고서는 집 디자인에 관여하지 말라'는 생각이 들 만큼 큰 도움을 받았습니다. 물론 정리 수납만 잘 되었다고, 디자인만 좋다고 행복한 집이 될 순 없습니다. 이 모두를 충족한 집을 지어야 합니다.
91.91㎡(27평)의 협소주택이지만, 수납공간이 잘 확보된 평면을 소개합니다. 1, 2층에 충분한 수납공간이 있으나 그게 다가 아닙니다. 주방 뒤 선반은 무려 반대쪽 실에서도 열립니다. 양방향으로 물건을 꺼낼 수 있는, 소소하지만 편리한 구조입니다.
안전하고 안심할 수 있는 집이 아니면 행복할 수 없음을 고려해, 거실과 식당 사이에 수납장 겸 벽을 만들고 기둥의 역할을 하도록 하여 집의 내진 성능을 조금이나마 높였습니다.

면적 91.91㎡ | **1F** 54.65㎡ | **2F** 37.26㎡

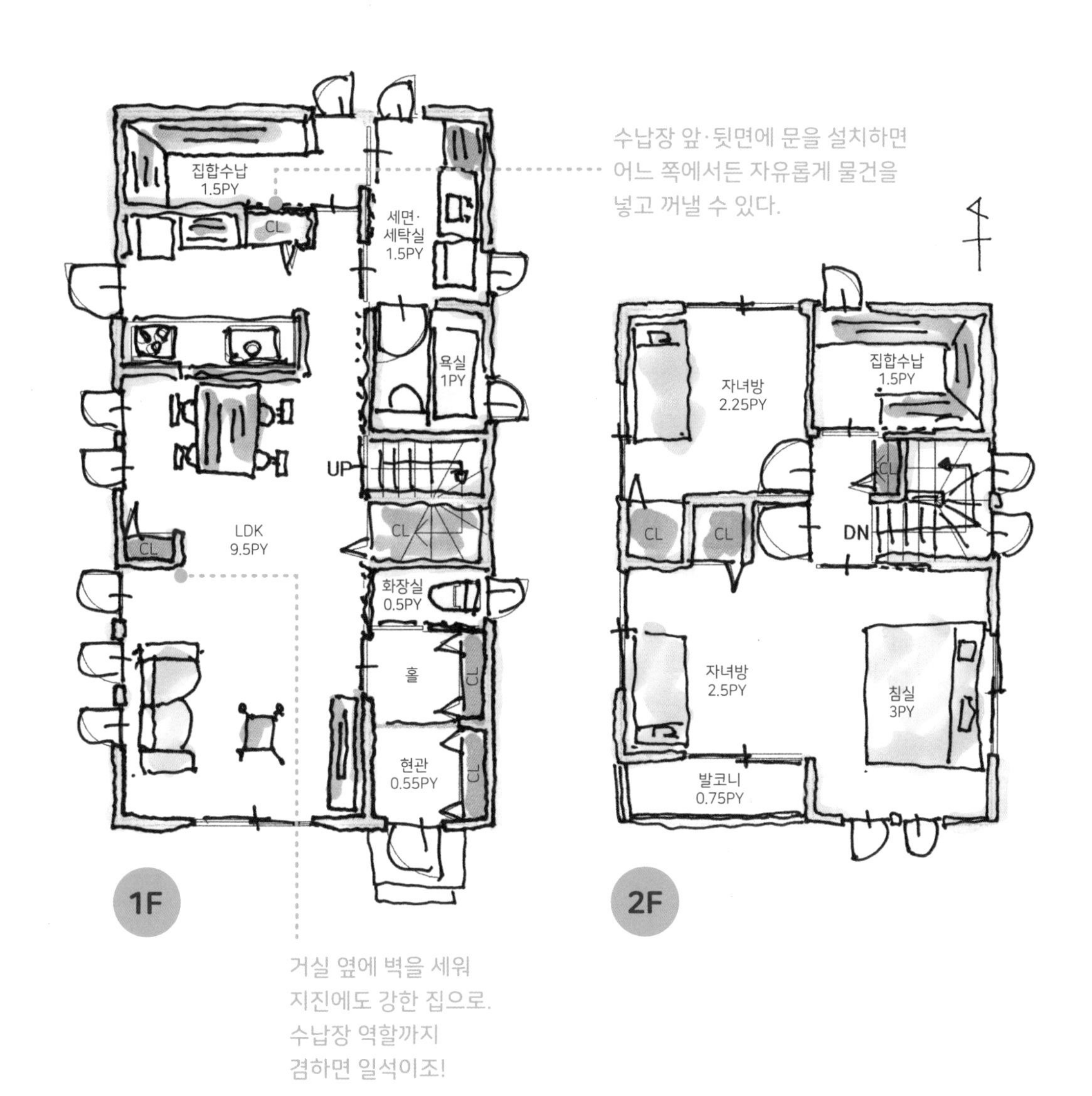

CASE 19

기분을 좋게 하는 1층 데크

또 새로운 실 만들었습니다. 이 공간은 계단 아래 있고, 천장이 낮아
벽지와 조명으로 분위기를 연출합니다. 비밀의 다락방 같은 느낌이
매력적입니다. 이처럼 개인적인 공간이 있는가 하면,
이 집에는 매우 개방적인 공간인 '데크'도 있습니다. 날씨 좋은 날에는
여기서 브런치를 즐겨도 좋겠죠?
제가 만들어 놓고도 놀랄 만큼 2층 수납공간도 대단합니다.
7.4㎡(2.25평)는 아이방 정도의 면적이지만, 정말 옷을 좋아하는
사람에게는 이 정도 크기의 수납공간이 필요합니다. 단, 공간이
넓다고 짐을 더 늘리진 마세요. 입어보고 마음에 든다면 어쩔 수
없으나, 아니다 싶은 옷은 망설이지 말고 재활용센터, 바자회에
내놓도록 합니다. 그것이야말로 깨끗한 집을 만드는 요령입니다.

면적 104.33㎡ | **1F** 59.62㎡ | **2F** 44.71㎡

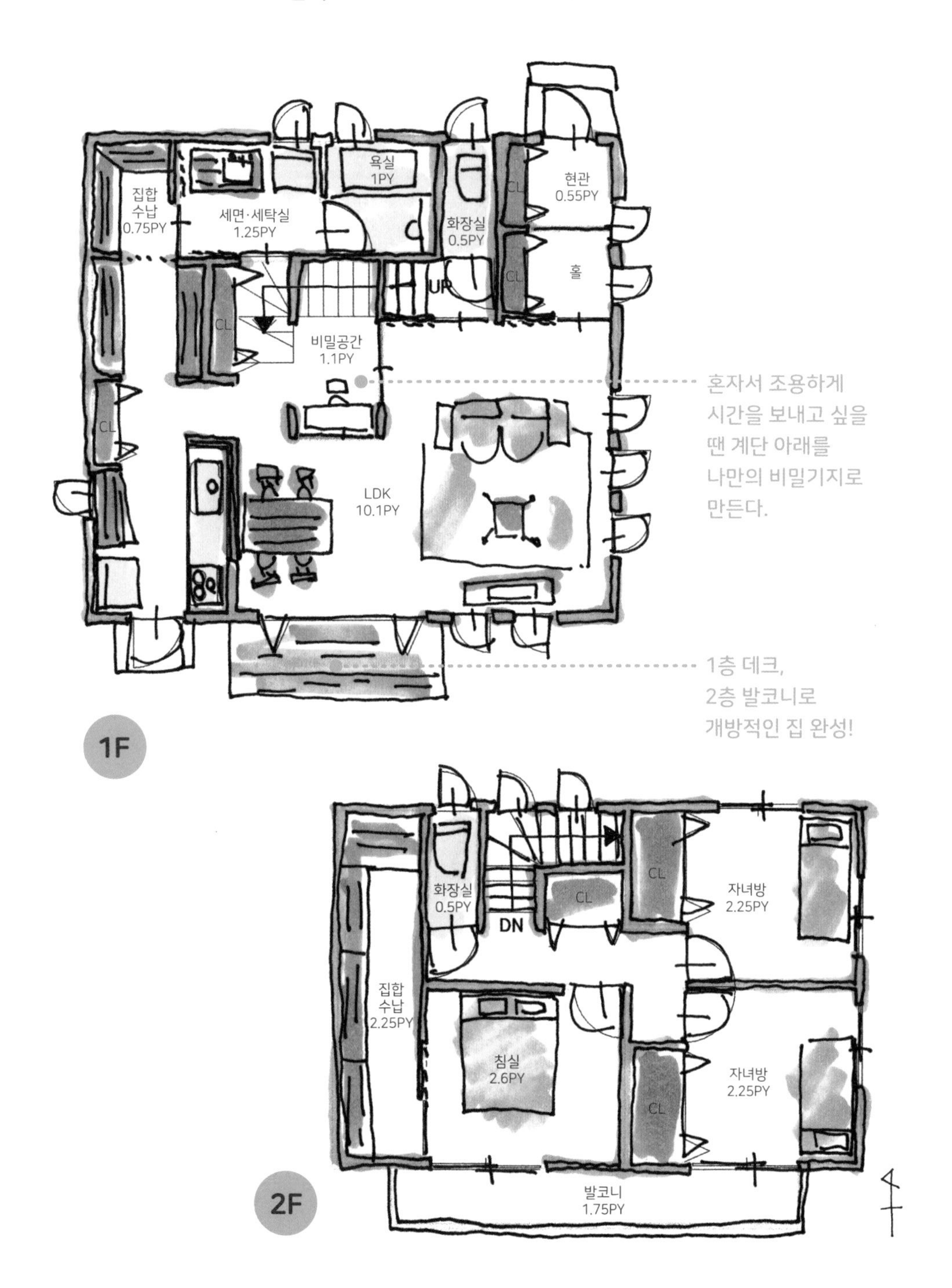

가족이 함께하는!
온기가 전해지는 공간

최고의 거실

주방이 활동적이라면, 거실은 쉼의 장소. 느긋하게 한가로이 보낼 수 있도록 부드러운 빛과 기분 좋은 바람이 머무는 공간을 만들어보자!

경사 천장에서 들어오는 빛, 어두운 방을 환하게

채광이 잘 안 되는 집이라고는 상상할 수 없을 정도로 밝은 거실. 그 비밀은? 천장에 경사를 두고 창을 만들어 언제나 내부에 빛을 담아냅니다.

새하얀 내부 공간에 포인트를

새하얀 공간에 벽지와 레일 조명 등으로 포인트를 주었습니다. 공간이 단조롭지 않도록 여러모로 고민했어요. 우측 안쪽에 설치된 문은 뒷문인데, 그렇게 보이지 않게 옷장 같은 문을 선택했습니다.

큰 창이 있으면 베란다가 제2의 거실로

연못 옆이라는 입지 조건을 최대한 살리고자 큰 발코니 창을 설치했습니다. 창을 통해 연못이 보이면 가족이 늘 좋은 풍경과 마주할 수 있을 거로 생각했죠. 날씨가 화창할 때 가족들은 거실과 바로 연결된 베란다에서 점심을 즐긴다고 합니다.

프라이버시 보호를 위해 거실 창문은 높은 위치에

빛과 바람이 들어와야 하는 창문이지만, 너무 크게 내기에는 외부 시선이 신경 쓰입니다. 거실이 현관과 가까울 경우, 높은 위치에 창문을 두면 내부가 훤히 들여다보이지 않죠. 따라서 가족의 프라이버시도 보호받을 수 있어요.

두 공간 사이를 자연스럽게 구분한 벽

거실, 주방 및 식당이 모두 혼재하면 집 안이 불안정해 보입니다.
내진 성능을 높이기 위해 필요했던 기둥을 활용하여 벽을 만들고 각
공간을 분리했습니다.

레일 조명의 새로운 활용법

천장에 들어간 삼각 라인은 천장 높낮이를 달리한 것이 아니라 레일 조명 설치의 결과물입니다. 레일에 의해 생긴 그림자가 공간에 리듬감을 더해주는 것이죠. 그렇다고 지나치게 많은 조명을 두는 건 금물!

크고 작은 창문에 의한 대비

같은 크기로 나란히 배치한 3개의 창문과 조금 더 큰 창문. 크고 작은 창문의 대비가 색다른 분위기를 만들어냅니다. 사각의 창과 그레이 컬러 벽지만으로 안락한 공간이 완성되었습니다.

벽지 컬러로 공간 분리

주방과 거실이 인접한 경우, 각 공간을 구분해주면 좋습니다. 거실과 다이닝룸 천장은 블루그레이 컬러로, 주방은 화이트 컬러의 실크벽지로 각각 마감해주면 시각적인 공간 분리가 가능합니다.

소파를 활용해 일상의 편안함을

다이닝룸과 거실 사이에 소파를 두어 성격 다른 두 공간을 구분했습니다. 간단한 방법이지만, 일상생활에 미치는 영향은 큽니다.

어딘지 모르게 세련된 공간

천장 일부분만 높이를 낮춰도 거실과 식사 공간이 나눠집니다. 천장과 일부 안쪽으로 들어간 벽(수납 벽)이 만나 거실은 더 깊고 넓어 보입니다.

3

주택 평면 사례

CASE 20-29 + COLUMN 3

CASE 20

선반형 테이블에서의 휴식

마음을 설레게 하는 이 집만의 포인트를 짚어보겠습니다. 우선 주방은 대면형이 아닙니다. 이렇게 한 이유는 가스레인지 옆에 팬트리가 필요했기 때문. 요리할 때 재료와 식기 등이 근처에 있으면 아무래도 편리하겠죠? 단, 이 위치에 조리대를 두면 거실에서 싱크대 주변 집기들이 보여 지저분할 수 있습니다. 될 수 있으면 눈에 띄지 않게 거실과 다이닝룸 사이에 장식 기둥을 세웠습니다. 덕분에 시선이 적절히 차단되고, 두 공간이 자연스레 구분됩니다.

그리고 모두가 좋아하는 선반형 테이블! 눈부신 아침 햇살을 맞으며 이곳에 앉아 마시는 커피는 왠지 우울했던 기분도 좋게 합니다. 즐거워지는 환경은 스스로 만드는 것이죠. 집 안에 미소가 절로 지어지는 장소가 있다는 건 정말 행복한 일입니다.

면적 99.36㎡ | **1F** 54.65㎡ | **2F** 44.71㎡

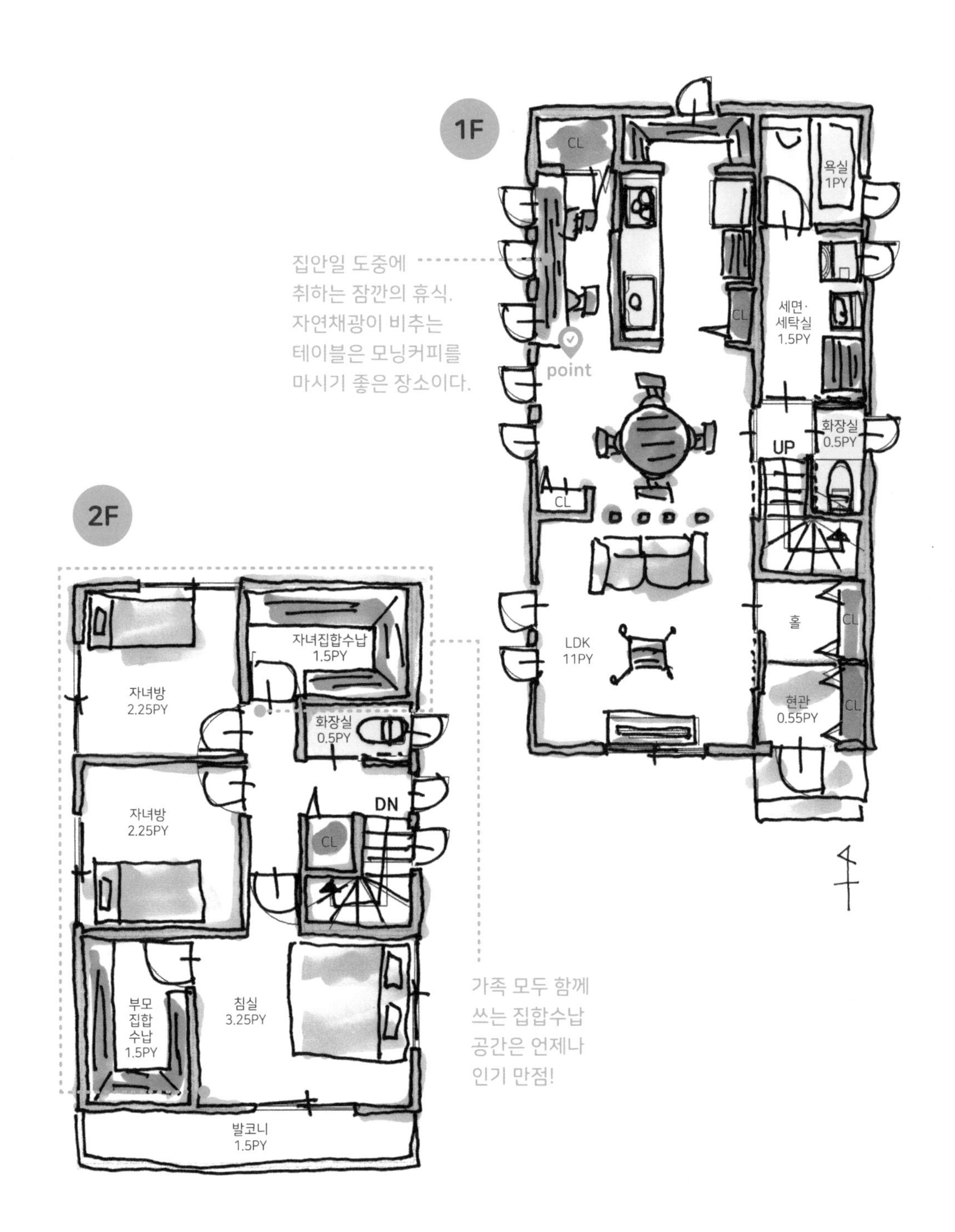

CASE 21

가사노동의 공간을 한 층에 몰아주기

2층에 거실과 주방이 있는 107.64㎡(32평) 면적의 북향집. 이 평면은 건축주가 원했던 조건에 맞춰 디자인한 것입니다. 채광을 고려해 2층에 거실과 주방을 배치했는데, 이 경우 중요한 것이 바로 주방과 화장실, 수납의 위치랍니다. 세탁실 및 욕실을 주생활 공간인 2층에 둘 순 있겠지만, 가족의 속옷이나 실내복, 수건 등이 정리된 수납공간이 1층에 있으면 계단을 오르내려야 하는 불편함이 발생합니다. 체력에 자신 있는 사람도 이런 일상이 반복되면 금세 지치죠. 따라서 2층 화장실과 세탁실 옆에는 무조건 집합수납공간을 설치하는 것이 좋습니다.

공적인 영역이 2층에 모여 있기 때문에 2층에서 생활 전반의 활동들이 이뤄집니다. 즉, 한 층에서 집안일이 모두 해결되니 그로 인한 피곤함도 조금은 덜 수 있지 않을까요? 침실이 배치된 1층에도 화장실과 세면대를 놓아 가족의 편의를 배려했고요.

일반적으로 1층에 거실과 주방을 두는 것이 통례이긴 하나, 채광이 좋지 않아 비교적 저렴한 금액의 땅을 샀다면 이 평면을 떠올려보세요. 분명 만족할 만한 집을 완성할 수 있을 겁니다.

면적 107.64㎡ | **1F** 53.82㎡ | **2F** 53.82㎡

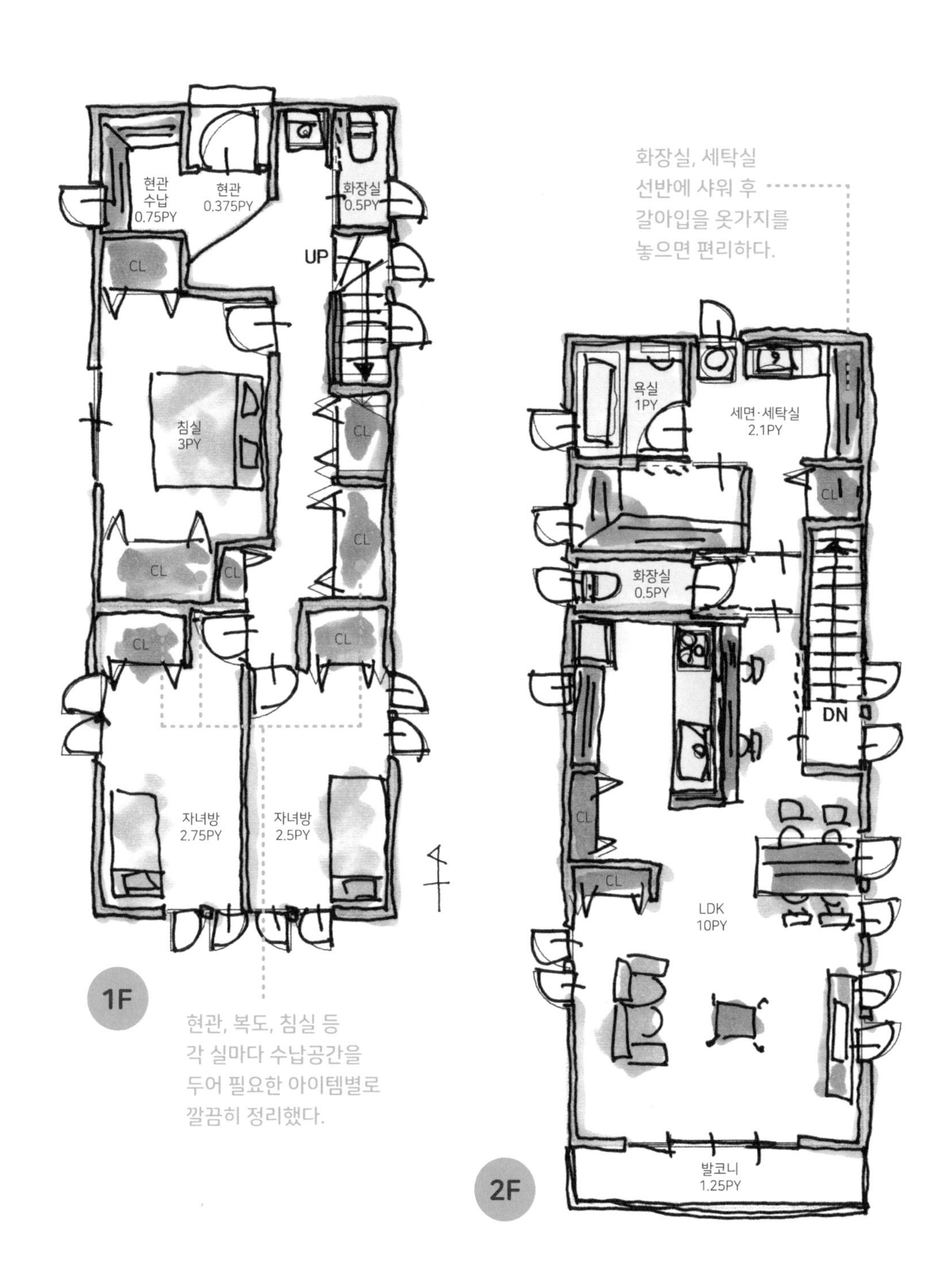

CASE 22

같은 동선상에 놓인 발코니와 드레스룸

아이가 있으면 매일 세탁물이 산더미입니다. 잔소리하지 않고 기분 좋게 세탁하고 싶지만, 어마어마하게 쌓인 빨랫감을 보고 있으면 마냥 웃음이 나지만은 않습니다. 엄마의 부담을 조금이라도 덜어주기 위해 빨래를 말리는 장소와 정리하는 장소의 거리를 최대한 줄였습니다. 일례로 아이방에는 별도의 수납장을 두지 않고 가족이 함께 쓰는 집합수납공간을 활용합니다. 그러면 발코니에서 드레스룸으로 바로 이동해 빨래 정리 및 수납을 한자리에서 끝내버릴 수 있습니다. 즉, 많은 양의 옷을 들고 엄마가 이 방 저 방을 오가지 않아도 된다는 뜻입니다.

면적 95.21㎡ | **1F** 57.54㎡ | **2F** 37.67㎡

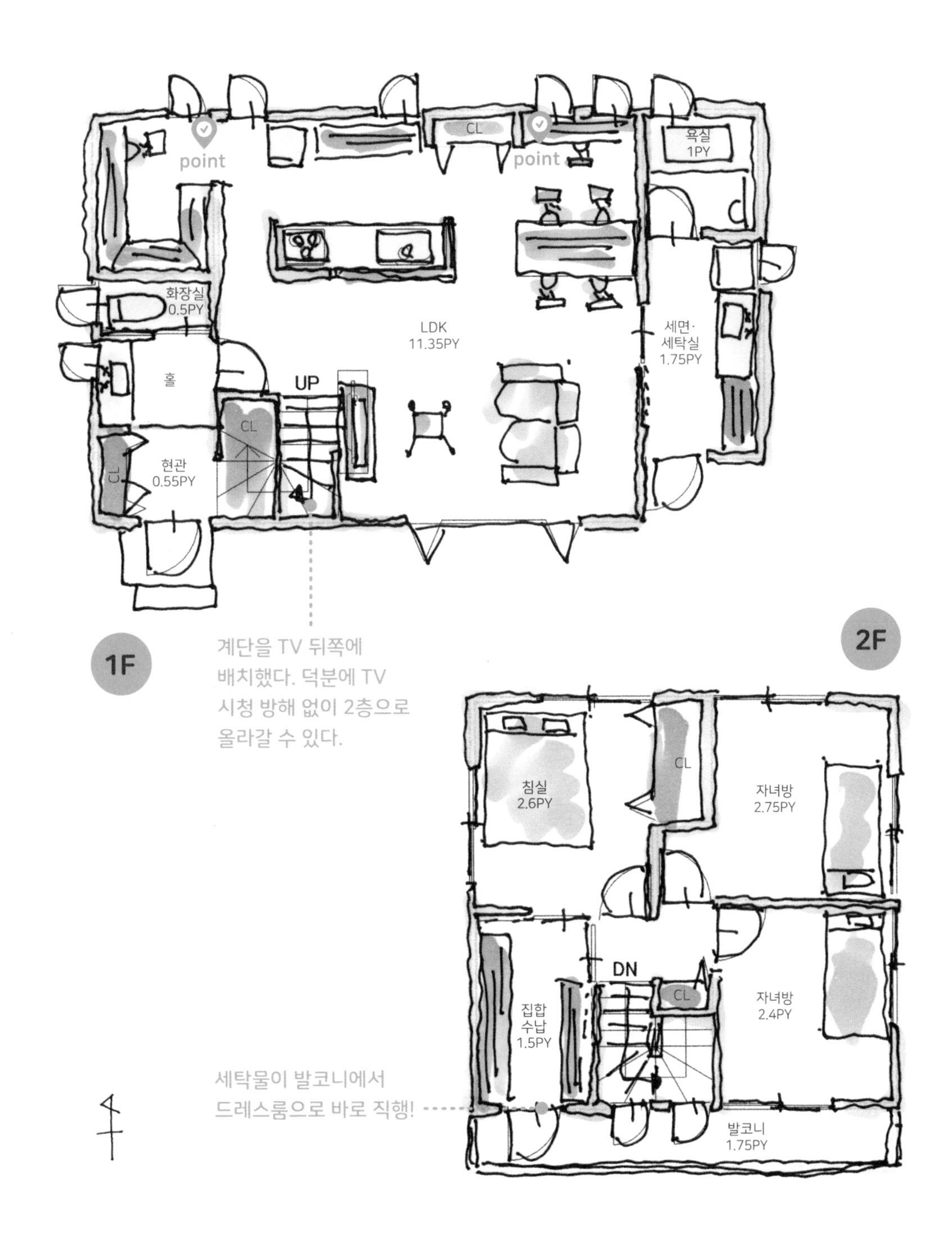

CASE 23

선룸이 있어 해 잘 드는 3층 주택

3층의 협소주택. 이웃집과 인접해 햇빛이 집 안에 잘 안 들어온다고 판단하기 쉽지만, 거실을 2층에 배치하고 보이드(Void) 공간을 두면 채광 좋은 집을 만들 수 있습니다. 그리고 유리로 구획한 3층 보이드 공간 옆에는 선룸을 배치합니다.

이 집에는 헤어디자이너 부부가 삽니다. 미용실을 운영하다 보니 아침부터 저녁까지 매우 바쁘죠. 어쩔 수 없이 출근 전 세탁기를 돌리고 세탁 마친 옷가지는 대충 널어놓은 채로 나가게 됩니다. 그런데 갑자기 비가 내립니다. 어쩌냐고요? 이 집에는 해 잘 드는 선룸이 있고, 그곳에서 빨래를 건조하니 전혀 걱정 없어요.

가끔 집안일을 도와주러 오시는 어머니는 귀여운 손자와 함께 선룸 속 따스함에 이끌려 그곳에서 잠시 낮잠을 청하기도 하죠. 저녁에 엄마는 주방에서 요리를, 아이는 그 옆 테이블에 앉아 오늘 하루를 이야기하며 숙제도 합니다. 이렇게 아이도 엄마도 모두 만족하는 집이 또 한 채 완성되었습니다.

면적 122.96㎡ | **1F** 42.85㎡ | **2F** 42.85㎡ | **3F** 37.26㎡

빨래도 잘 마르는 선룸.
볕 좋은 날엔 이곳에서
한가로이 낮잠을 청한다.

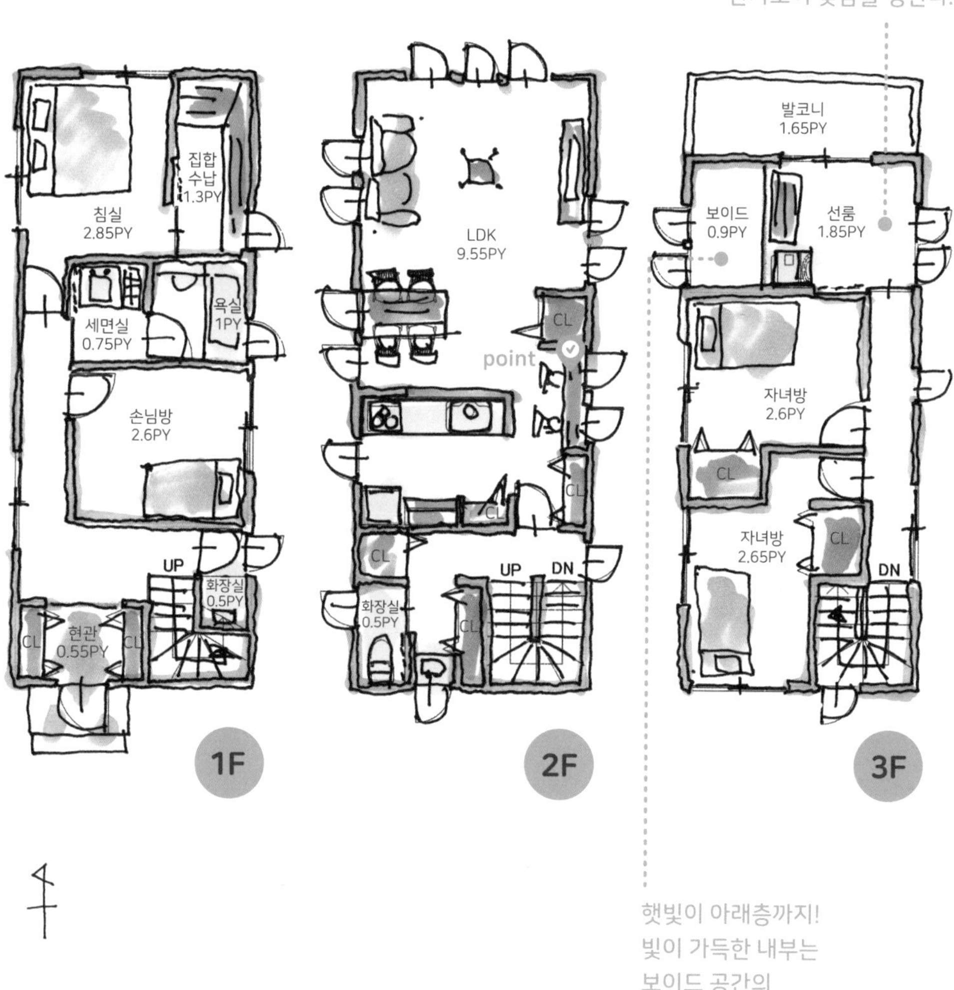

햇빛이 아래층까지!
빛이 가득한 내부는
보이드 공간의
역할이 컸다.

노후에도 안심. 1층에서 이뤄지는 일상

한 층에서 모든 생활이 이뤄진다는 것은 무척 편리합니다. 특히 나이가 들어 하반신이 약해진 경우라면 더욱 그렇고요.
그런저런 상황들을 고려하면서 그렸기 때문에 이번 평면은 거주자에게 굉장히 편리합니다. 일단 거실, 주방, 욕실, 세탁실, 화장실, 안방, 창고 등이 모두 1층에 배치되었습니다. 화장실과 세탁실에는 호텔 방과 비슷하게 2개의 세면볼을 설치하고 1, 2층 모두 화장실을 두어 세 자녀가 준비해야 하는 바쁜 아침 시간도 여유롭게 시작할 수 있게 했죠.
커다란 현관 수납장은 다섯 식구의 신발을 충분히 보관할 수 있어요. 아이들이 커서 독립하면 그 안엔 부부의 취미 용품으로 하나둘 채워지겠죠?

면적 142.22㎡ | 1F 101.23㎡ | 2F 40.99㎡

욕실 가까이 화장실을 두어
동선의 편의를 챙겼다.

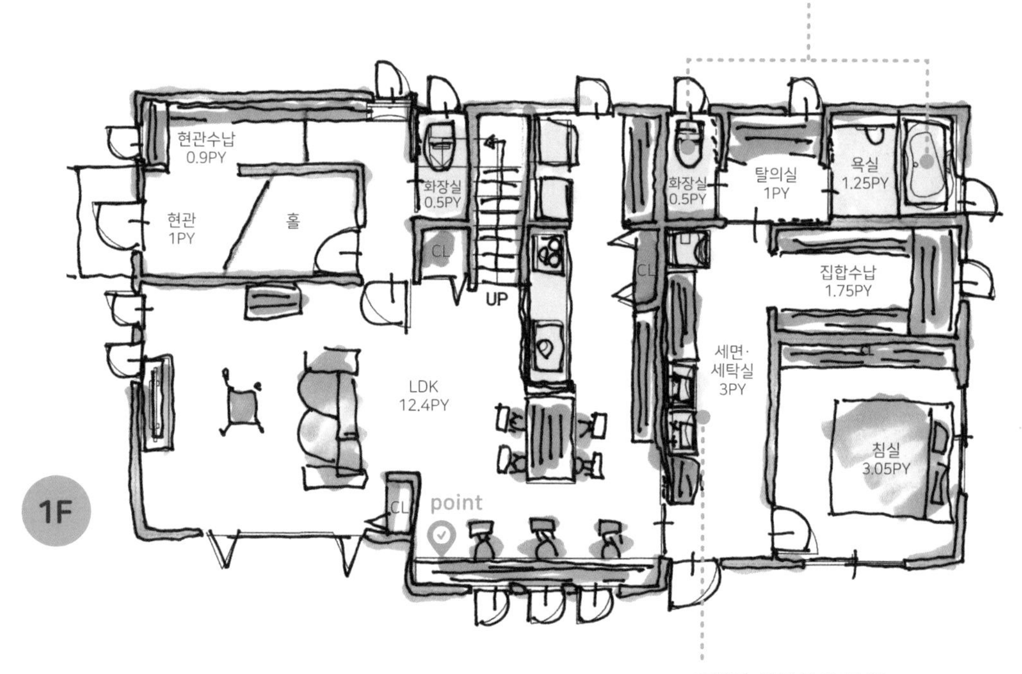

2개의 세면볼은 바쁜
아침에도 여유를 갖게 한다.

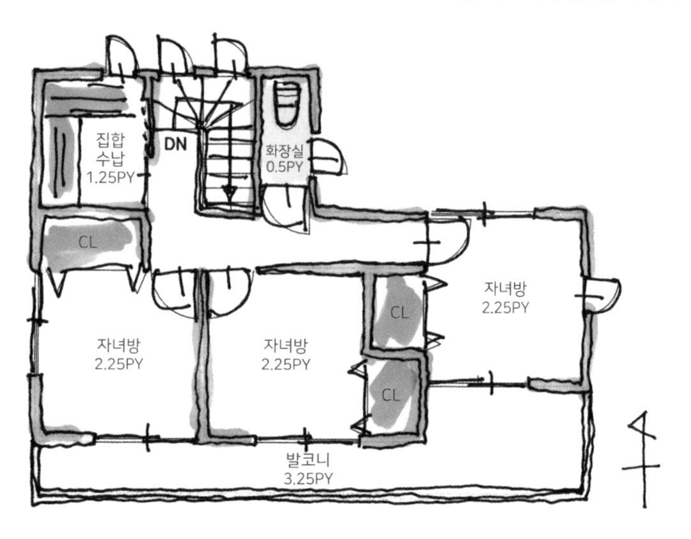

CASE 25

자동차 마니아의 실내 차고가 있는 집

자동차를 사랑하는 남자들의 꿈, 실내 차고는 그저 어느 멋진 잡지에나 실릴 법한 공간이라 생각합니다. 그래서 큰 결심 후 집을 짓는 만큼 '집 안에 차를 두고 싶다!'라는 바람을 내비친 남편이 의외로 많았습니다. 물론 '집이 좁아지기 때문에 안 돼'라고 부인이 반대하는 경우도 만만치 않죠.

결과적으로 저는 실내 차고가 가족 모두 행복해지는 공간이 될 수 있다고 생각합니다. 비 오는 날 아이들과 놀아줄 수 있는 장소가 되기도 하고, 다양한 활동이 가능해 쉬는 날의 일과도 풍성해집니다.

이 집은 실내 차고까지 둔 협소주택이지만, 3층으로 구성해 거주 공간을 충분히 확보했습니다. 1층에 넓은 세면·세탁실과 집합수납공간을 만들면 많은 집안일이 한 번에 해결되죠. 3층에는 아이 방과 부부 침실 등 총 3개 방을 배치합니다. 방 하나는 향후 가벽을 세워 2개의 방으로 나눌 수도 있습니다.

면적 119.22㎡ | **1F** 39.74㎡ | **2F** 39.74㎡ | **3F** 39.74㎡

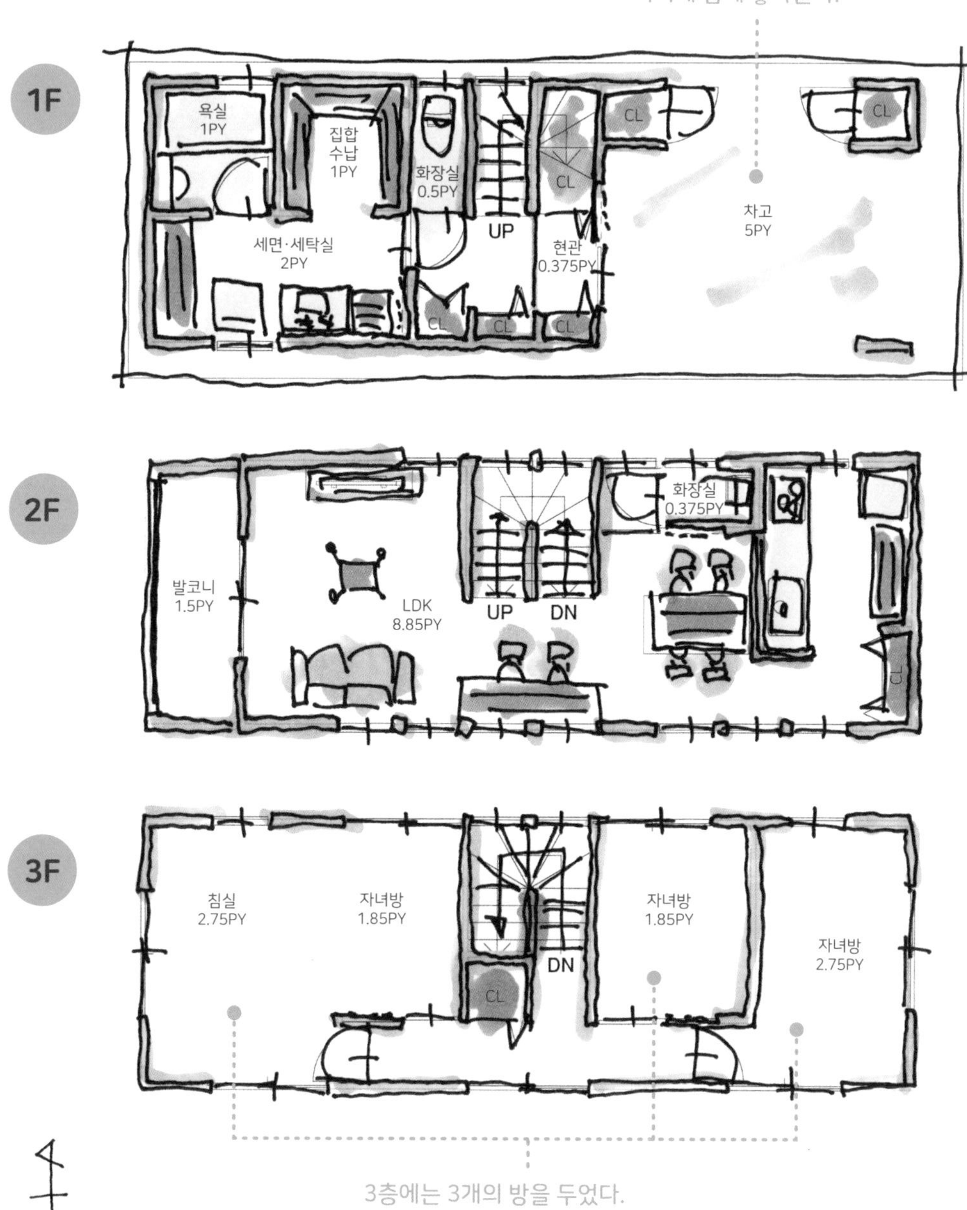

CASE 26

테이블 옆 창가에서 보내는 가족만의 시간

행복한 집이 되기 위해 필요한 것이 무엇인지 묻는다면, 저는 망설임 없이 '바람, 빛, 수납, 동선'이라고 대답합니다. 눈을 뜨자마자 따사로운 햇볕을 받고 있으면 왠지 모르게 '오늘도 힘내자!'라는 긍정적인 마음을 갖게 됩니다. 아침을 먹는 식탁 옆에 빛 잘 드는 창문을 내는 것도 같은 이유에서죠.
이 집은 동쪽에 창을 설치하는 것이 적합하지 않아 내부로 직접 빛이 들진 않지만, 은은한 밝기는 충분히 느껴집니다. 밤이 되면 조명을 끄고 달빛을 즐기는 낭만적인 시간도 가져보세요. 그날의 피로는 그날 달래주는 것이 행복의 시작입니다.

면적 115.92㎡ | **1F** 60.86㎡ | **2F** 55.06㎡

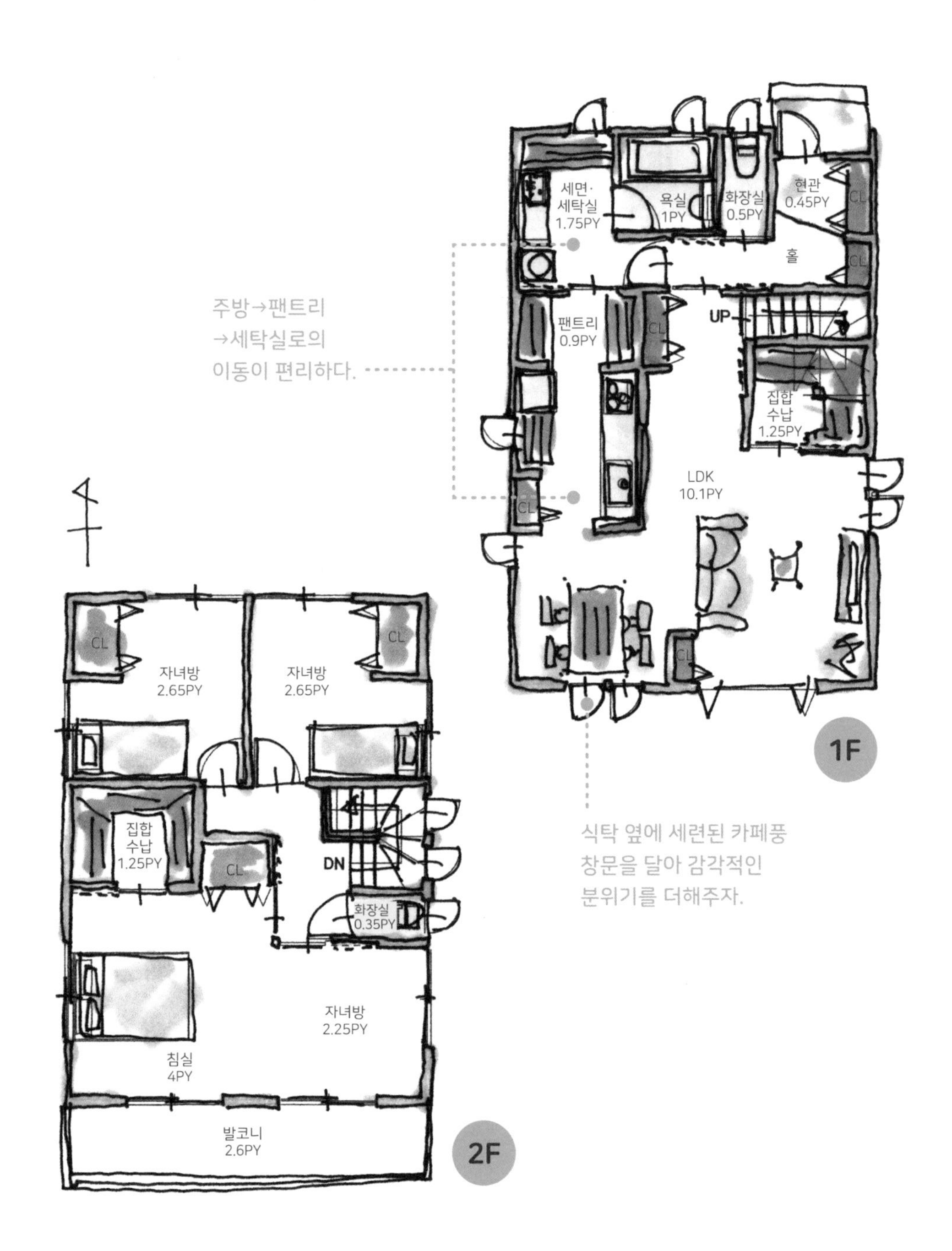

CASE 27

계단실 문은 필수! 새는 열을 잡자!

예전에 지어진 집들을 보면 현관으로 들어가 먼저 복도와 마주하고 계단으로 이어지는 구조가 많았습니다. 아마 지금보다 대지에 여유가 있었기 때문으로 추측됩니다. 최근에는 가급적 현관과 복도의 면적을 줄이고 싶어 하죠. 그만큼 거실의 면적을 더 넓힐 수 있으니까요.
2층으로 오르기 위해선 계단이 필요하지만, 아무래도 열교현상이 발생하기 쉽습니다. 그래서 저는 거실 계단에 문을 다는 것을 권장합니다. 미닫이문을 설치하면 열이 새는 것을 막고, 에어컨을 사용하지 않는 시기에는 열린 상태로 두어 개방감도 확보할 수 있습니다.
현관 쪽 창고에는 문 없이 **수벽**(袖壁)을 붙여 공간을 나눴습니다. 문보다 비용도 저렴하니 여러모로 좋죠. 여기에 세련된 조명까지 설치해주면 활용도는 더 높아집니다.

수벽(袖壁) | 공간의 칸막이 역할을 하는 실내의 조금 돌출된 벽

면적 98.53㎡ | **1F** 55.06㎡ | **2F** 43.47㎡

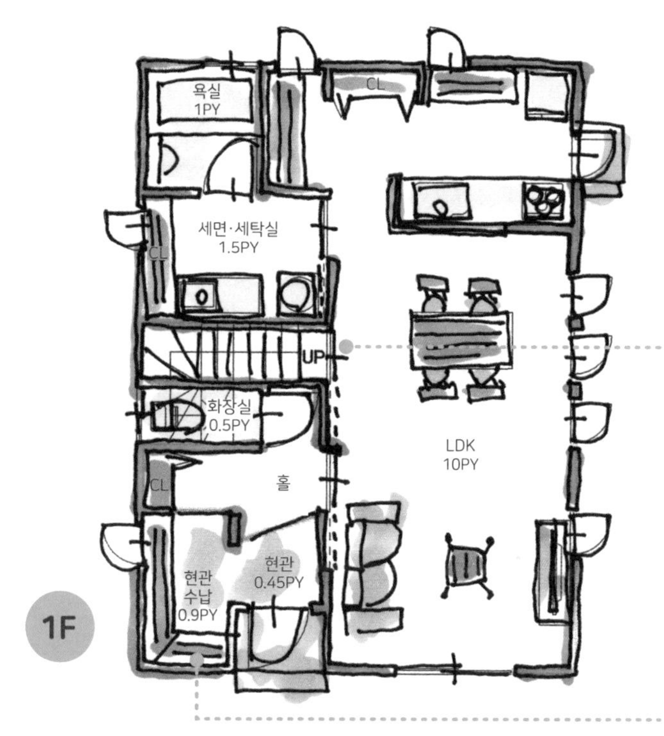

거실에서 직접 연결되는 계단은 2층으로 바로 올라갈 수 있어 동선이 좋다.

자랑하고픈, 잘 정리된 현관 내 수납공간

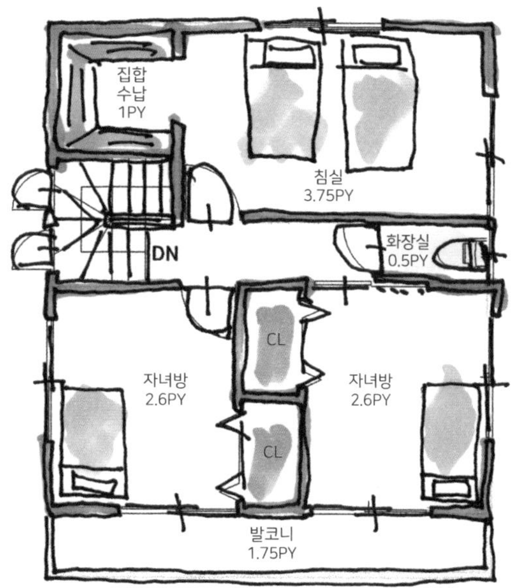

CASE 28

팬트리를 겸한 다재다능 취미실

이번 평면은 취미실을 둔 집입니다. 주방 옆에 있는 취미실은 눈에 띄지 않는 방이지만, 재봉 및 다림질을 할 수 있는 테이블이 있고 팬트리와도 이어진 동선 좋은 공간입니다. 방 입구에 오두막 같은 분위기의 삼각형 또는 아치형 벽을 만들어주면 더 아늑한 느낌이 들겠죠? 욕실과 세탁실은 6.6㎡(2평) 정도로 계획했습니다. 물론 빨래 건조대도 설치했고, 속옷이나 실내복, 수건, 잠옷 등도 전부 이곳에 정리합니다. 뒷문도 있으니 그대로 밖에 나가 햇볕에 빨래를 널 수 있고요.

이 집 역시 수납에 신경 썼어요. 계단 아래에는 청소기를, 취미실 입구 사이 수납공간에는 뚝배기와 불판 등 조리도구를 넣을 수 있게 했습니다. 아이방과 부부 침실은 양방향에서 바람이 들어와 통풍이 잘됩니다. 계단실에는 미닫이문을 설치했기 때문에 새는 열로 인한 냉난방 비용은 걱정하지 않아도 됩니다.

면적 96.88㎡ | **1F** 54.65㎡ | **2F** 42.23㎡

취미실을 돋보이게
하는 수벽

1F

욕실 1PY
point
팬트리
CL
CL
CL
화장실 0.5PY
홀
현관 0.45PY
UP
세면·세탁실 2PY
CL
LDK 9PY

2F

CL
자녀방 2.25PY
화장실 0.5PY
CL
집합 수납 1.1PY
DN
자녀방 2.25PY
CL
침실 3.35PY
발코니 2.1PY

통풍이 잘 되는
부부 침실과 아이방

CASE 29

아이 셋 캠핑족도 대만족할 수납

최근 증가하고 있는 것이 '3개의 아이방을 배치해야 하는 평면'에 관한 상담. 자녀가 많을수록 물건이 늘어나는 만큼 수납공간 역시 잘 챙겨야 합니다. 저는 아이가 2명 있습니다. 아이들 짐 중 의외로 많은 비중을 차지하는 것이 학교 관련 인쇄물입니다. 연락사항이나 숙제 종이가 점점 쌓여 갑니다. 이것은 바로바로 정리하지 않으면, 찾는 데만 시간이 꽤 걸리죠. 워킹맘에게 하루는 시간과의 싸움입니다.
그래서 주방 옆으로 수납 기능을 부여한 긴 테이블을 설치했습니다. 여기에 인쇄물을 차곡차곡 넣어두면 최소한 찾는 수고만큼은 덜 수 있을 겁니다. 또한, 이 집의 조리대는 양쪽에서 들어갈 수 있기 때문에 요리를 하다가 아이들이 숙제하는 테이블로 가거나 세탁실로 가도 동선이 겹치지 않고 부드럽게 연결됩니다. 현재 첫째와 둘째 아이는 각자의 방에서, 어린 막내는 부부와 함께 자는데, 막내가 크면 부부 침실을 나누어 방을 따로 만들어줄 예정입니다.
현관의 넓은 수납공간에는 세발자전거, 운동기구, 캠핑용품 등 덩치 큰 물품도 문제없이 넣을 수 있습니다. 식구가 많으니 보관을 위한 장소도 커지는 건 당연하겠죠?

면적 117.57㎡ | **1F** 59.61㎡ | **2F** 57.96㎡

세발자전거부터 아이의 장난감까지. 뭐든지 정리할 수 있는 넓은 수납력을 가진 현관

1F

욕실 1PY
세면·세탁실 1.5PY
화장실 0.5PY
현관수납 1.1PY
홀
현관 0.55PY
UP
LDK 11.5PY
CL
CL
point

일도 취미활동도 할 수 있는 긴 테이블

2F

집합 수납 1.5PY
집합 수납 1.5PY
화장실 0.5PY
DN
자녀방 2.25PY
CL
CL
침실 3PY
자녀방 2.25PY
CL
CL
자녀방 2.25PY
발코니 2PY

집안일 도중 즐기는 잠깐의 휴식!
온전히 자신만의 시간을 만끽하자!

우히히방 & 우히히카운터

네일을 하고, 바느질에 몰두하고… 미소가 지어질 만큼 즐거운 공간이라는 생각에 제가 이름 붙인 우히히방(취미실)과 우히히카운터(선반형 테이블). 그곳에 있다 보면 나만의 자유 시간을 만끽하게 됩니다. 이렇게 기분이 좋아지는 장소가 집 안에 있어 가족 모두의 얼굴에는 늘 웃음꽃이 핍니다.

방구석에 만든 나만의 특별한 공간

방 구조상 긴 선반형 테이블을 만들 수 없다면, 이런 방법은 어떤가요? 방 한쪽에 아담한 작업공간을 만들면 오픈되어 있어도 개인실 같은 분위기가 납니다. 천장에는 전용 조명을 달아 나만의 공간이라는 느낌을 주었습니다.

NO.1

어디에서 봐도 미소가 지어지는 귀여운 방

아기자기한 꽃무늬 벽지에 마음이 들뜹니다. 왼쪽 거실과의 경계벽에는 그린 컬러의 창틀이 있습니다. 거실 쪽에서 보면 이 공간이 쇼윈도처럼 느껴지죠. **거실에서 봐도, 측면에서 봐도 미소가 지어지는 방입니다.**

가장 좋은 위치에 배치된 루버벽과 창문

루버벽이 귀엽죠? 영화 '카모메 식당(Kamome Diner, 2006)'을 보고 연출해보았습니다. 눈높이에 창문을 설치하니 개방감도 확실하죠. 테이블 옆 선반은 거실에서 집 안쪽이 잘 보이지 않도록 측면에 설치했습니다.

주방에 화장대가? 장소에 구애받지 말 것

주방에 화장대가 있다는 건 조금 어색한 듯하지만, 마음 설레는 장소는 사람마다 다릅니다. 따라서 원하는 위치에 자신만의 공간을 만들면 됩니다! 건축주의 요청으로 창문도 조명도 이곳만을 위해 제작했습니다.

긴 테이블은 가족 모두가 애용 중

이곳에 앉으면 눈앞에 공원이 한눈에 들어옵니다. 자수, 뜨개질 등을 좋아하는 부부여서 빛 잘 드는 곳에 테이블을 설치했죠. 3.6m 길이라 '이와 어울리는 어떤 조명을 천장에 달까?' 생각하는 것도 즐거운 고민이 되어줍니다.

콘크리트 문양의 벽지로 즐거운 공간 연출

이 집 남편은 남자다운 방을 동경하고 있어, 콘크리트 문양의 포인트 벽지로 남성미가 물씬 느껴지게 해보았습니다. 하지만 최근 부인의 핑크색 소품이 늘면서 처음 그 분위기는 아니라죠. ㅜㅜ

주방 앞에 만든 아이들의 공간

국수 가게를 운영하는 부부의 집. 자녀와 보내는 시간을 늘리고 싶다 하여 주방 앞에 선반형 테이블을 만들었습니다. 거리가 가까워 식사하고 있을 때도 엄마와 아이가 대화를 나눌 수 있습니다.

벽 뒤에 숨어 있는 비밀 장소

벽의 뒷면에 테이블이 놓였습니다. 데드스페이스가 단숨에 삶을 풍요롭게 하는 공간으로 변신했어요! 벽에는 작은 창을 만들어 거실 쪽에 있는 가족과 소통을 가능하게 했습니다.

벽지 선택도 또 하나의 즐거움

강아지에게 옷 만들어 주는 걸 좋아하는 안주인을 위해
재봉틀이 놓인 취미실을 만들었습니다. 테이블 앞 개구부에는
유리를 넣지 않아 이곳에 앉아서도 TV가 잘 보입니다. 한쪽
벽에만 붙인 물방울 패턴의 실크벽지가 포인트!

트리하우스에 머무는 기분, 거실을 내려다보는 방
거실 위 복층 공간. 건축주는 여기에 걸터앉아 TV를 보는 것이 생활의 즐거움이라고 합니다. **프로젝터를 통한 영화 감상은 부부의 일상이 되었습니다.**

4

주택 평면 사례

CASE 30-34 + COLUMN 4

CASE 30

가족 간의 대화가 잘 이루어지는 집

집 안 환경은 스스로 만들어가는 것. 다시 말하면 자신밖에 만들 수 없는 것이기도 합니다. 그래서 제가 집에 만들면 좋겠다고 생각하는 것이 앞서 언급한 저절로 미소 짓게 되는 환경 즉, 우히히방(취미실) 및 우히히카운터(선반형 테이블)죠. 여러 가지 이름을 붙여보았습니다만, 추구하는 바는 하나입니다. 자연스럽게 '우히히'하고 웃을 수 있는 장소, 집 안에 그런 곳이 있다면 너무나 좋겠죠? 그러면 부부의 대화도, 부모와 자식 간의 대화도 늘어나게 됩니다. 가족 모두에게 무척 행복한 집이 되는 것이죠. 예를 들어 테이블을 'L'자형으로 한 것은 다 함께 사용하게 하기 위해서입니다. 2층 긴 복도는 벽지를 달리해 걷는 것만으로 즐거워지는 장소를 만들었습니다. 또한, 복도 천장에 건조대를 설치하면 장마 시기에도 빨래를 안심하고 널 수 있습니다.

면적 97.71㎡ | **1F** 51.75㎡ | **2F** 45.96㎡

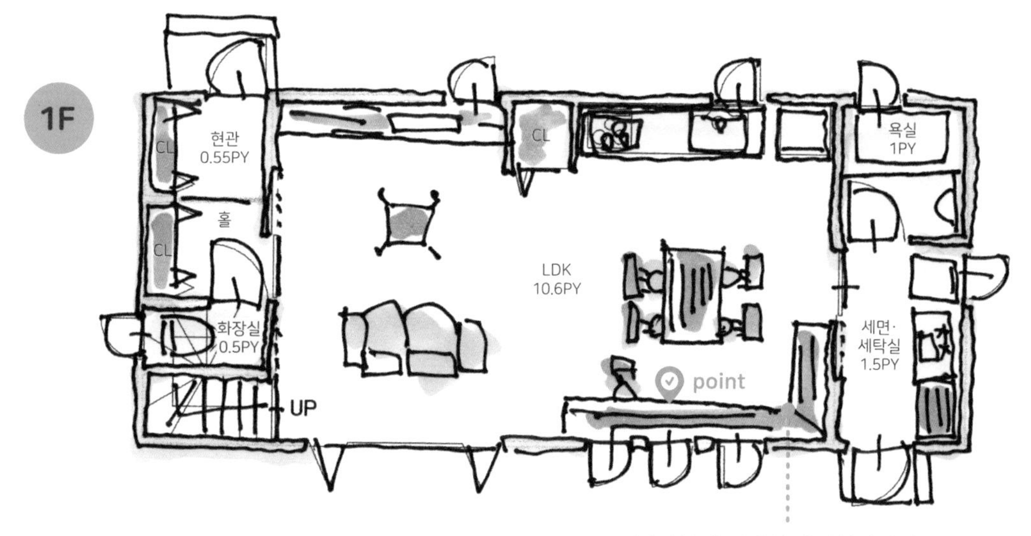

'L'자형의 선반형 테이블이라면
부모가 아이의 공부를 잘 봐줄 수
있어 자녀 성적 향상으로 이어진다.

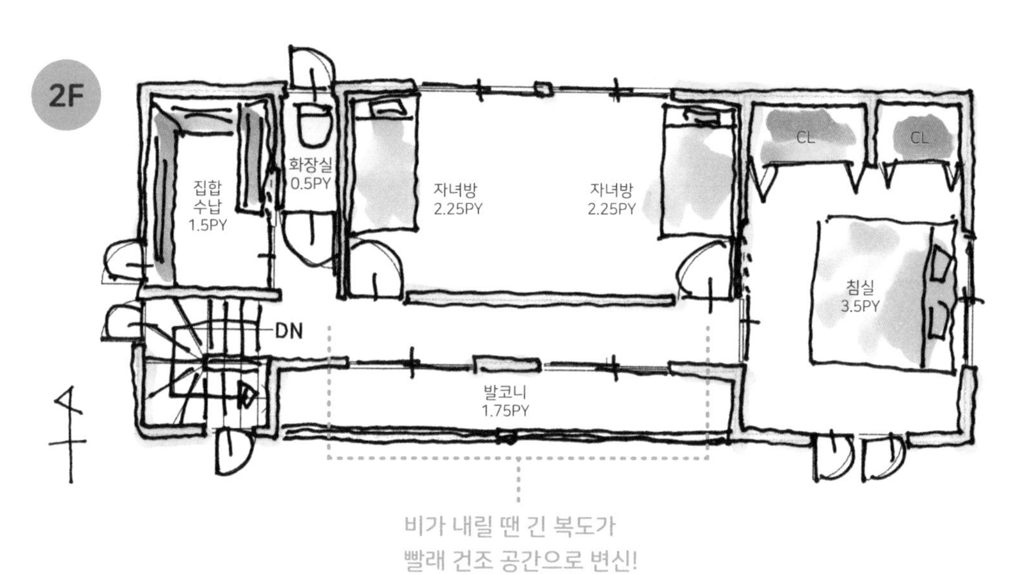

비가 내릴 땐 긴 복도가
빨래 건조 공간으로 변신!

CASE 31

옷가게 같은 현관 붙박이장

또 재미있는 공간을 만들었습니다! 팬트리를 포함한 넓은 방, 즉 가족의 꿈이 펼쳐지는 공간입니다. 카페처럼 사용해도 좋고, 자수를 하거나 재봉질을 하는 등 수공예 작업실로도 좋습니다. 수납공간을 많이 두고 아끼는 물건을 방 안에 가득 들여놓으면 그냥 보고만 있어도 신나겠죠? 창문을 설치해 통풍까지 잘 되면 기분은 더 좋아질 것입니다. 이 방의 입구에는 삼각형의 수벽을 붙여두었습니다. 현관에도 적절한 높이의 수벽을 설치했는데, 대신 수납공간은 문을 달지 않았습니다. 장식은 자연스럽게 코트와 가방으로 대신했고요. 모든 것이 수벽과 어우러져 집이 아닌 옷가게처럼 보이기도 합니다. 하루 중 나만의 시간을 조금이라도 보낼 수 있는 장소가 있다면, 그것만으로도 마음의 여유가 생깁니다. 자신을 소중히 할 수 있는 이런 평면이 많아지는 것이 저의 바람입니다.

면적 100.19㎡ | **1F** 58.38㎡ | **2F** 41.81㎡

방 입구에 수벽을 시공해
세련된 분위기를 더했다.

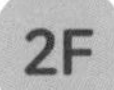

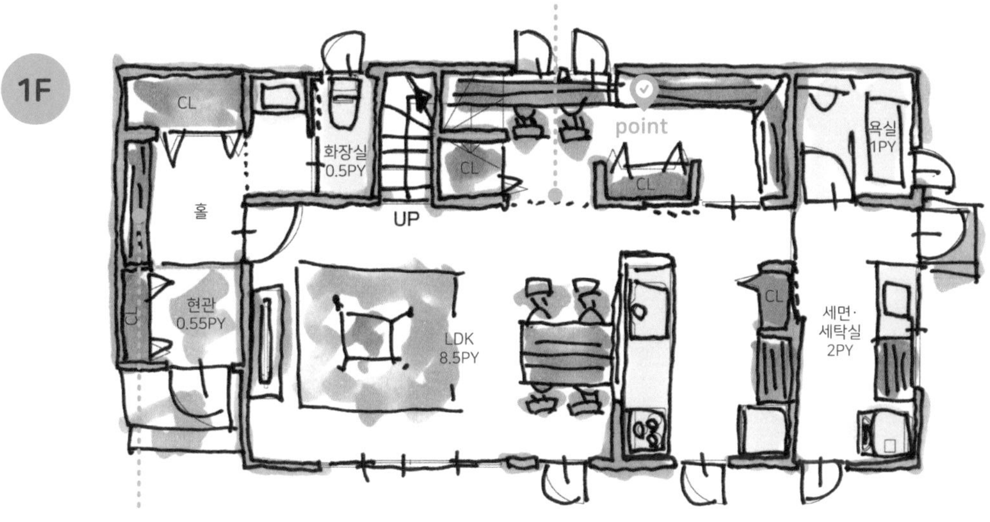

현관 수납공간에는 문 없는
선반을 놓아 의류 매장 같은
느낌을 주었다. 계절마다 변화를
줄 수 있어 공간이 다채로워진다.

2F

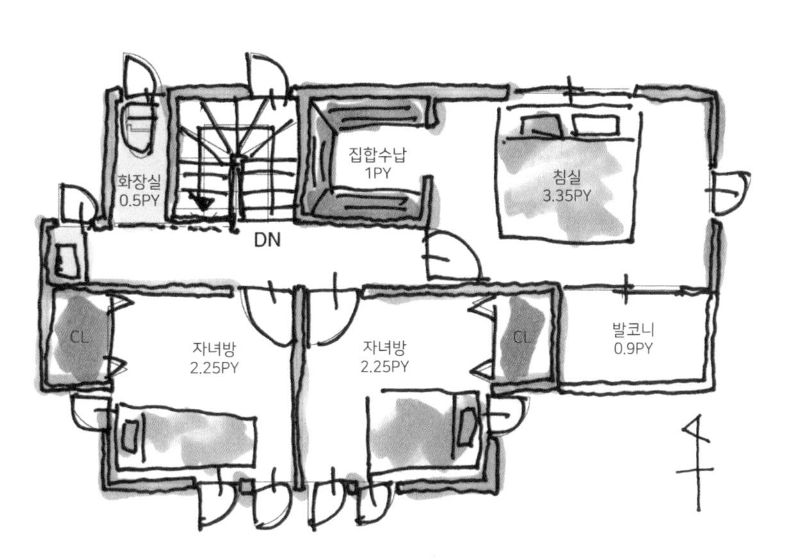

CASE 32

혼자만의 시간을 보낼 수 있는 작은 방

이번엔 성별에 따라 공간을 나눠보았습니다. 아무리 부부라고 해도 하루 종일 얼굴을 맞대고 있다 보면 답답할 수 있습니다. 혼자서만 즐기고 싶은 취미생활도 있을 테고요. 가정을 꾸렸지만, '자신의 시간도 소중히 하고 싶다!'는 분들을 위해 준비한 평면입니다.
방에는 미닫이문을 설치했습니다. 공부나 일에 집중하고 싶을 때는 문을 닫고, 가족과 함께할 땐 활짝 개방합니다. 기분에 따라 자유롭게 여닫으면 됩니다.
물론 행복한 평면의 필수 요소인 빛과 바람, 수납, 동선도 확실하게 담았습니다. 어떤 평면에서도 그 부분만큼은 반드시 지켜야겠죠?

면적 92.74㎡ | **1F** 62.93㎡ | **2F** 29.81㎡

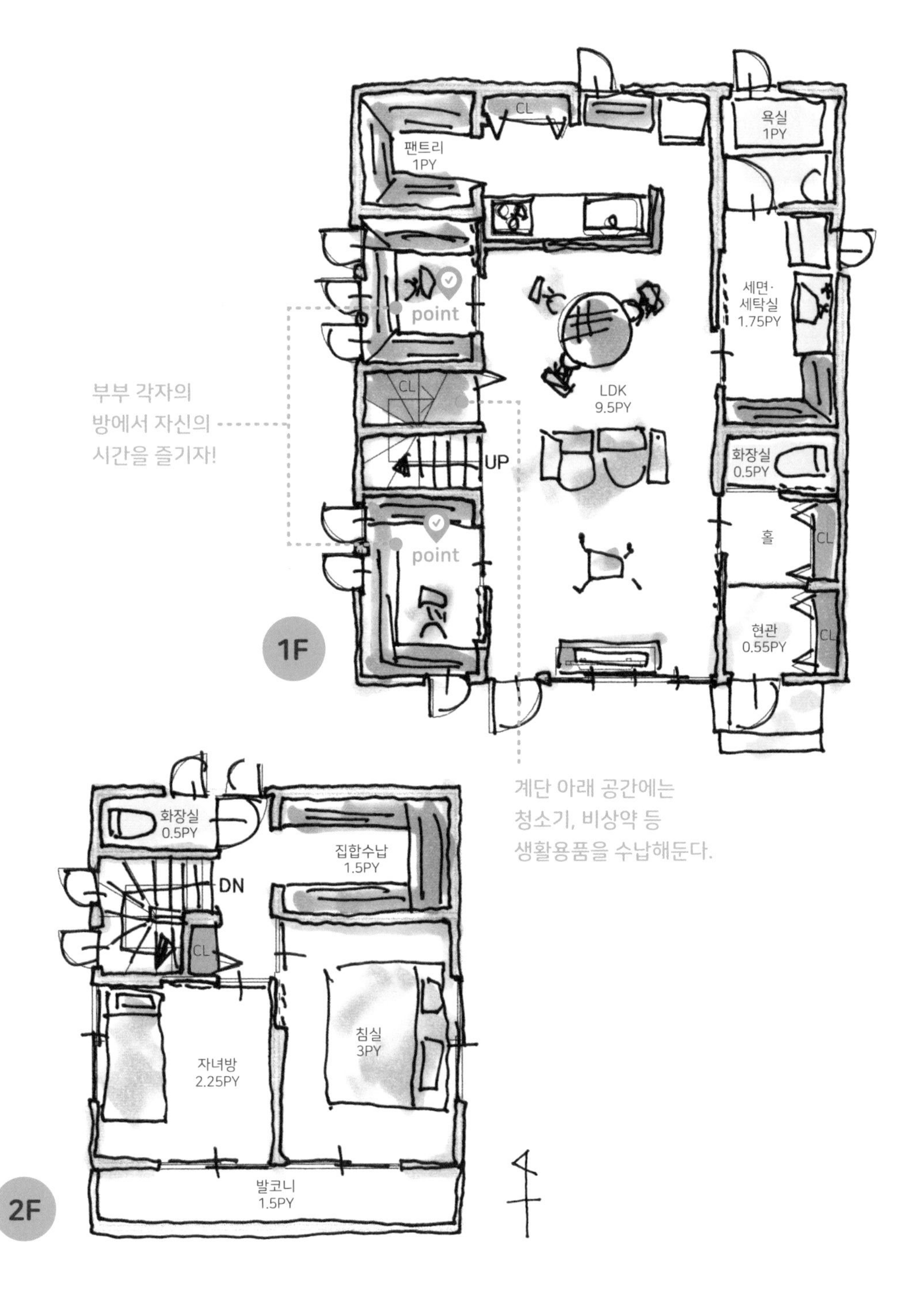

CASE 33

주방을 중심으로 한 자유로운 이동 동선

이 집은 95.64㎡(29평 이하)의 면적이지만, 현관에 대용량 수납공간을 두었습니다! 게다가 빛과 바람도 풍부하게 들어옵니다. 아일랜드형 주방가구로 동선까지 자유롭습니다.
아무래도 주방은 엄마가 꽤 오랜 시간을 보내게 되는 장소이므로, 편안함을 기반으로 작은 부분에도 신경 써야 합니다. 예를 들어, 주방에서 세탁실, 주방에서 다이닝룸 등 주방을 중심으로 어디든 쉽게 발이 닿고, 주방의 좌우를 열어 어느 쪽에서도 출입할 수 있게 합니다. 이것은 주방의 넓이와 관계없이 배치의 문제입니다. 싱크대만 잘 놓아도 요리하기 좋은 주방을 만들 수 있습니다.
결국 편리한 동선으로 집안일을 술술 해낼 수 있는 집은, 바쁜 워킹맘에게 믿음직한 지원군이 됩니다.

면적 95.64㎡ | **1F** 54.03㎡ | **2F** 41.61㎡

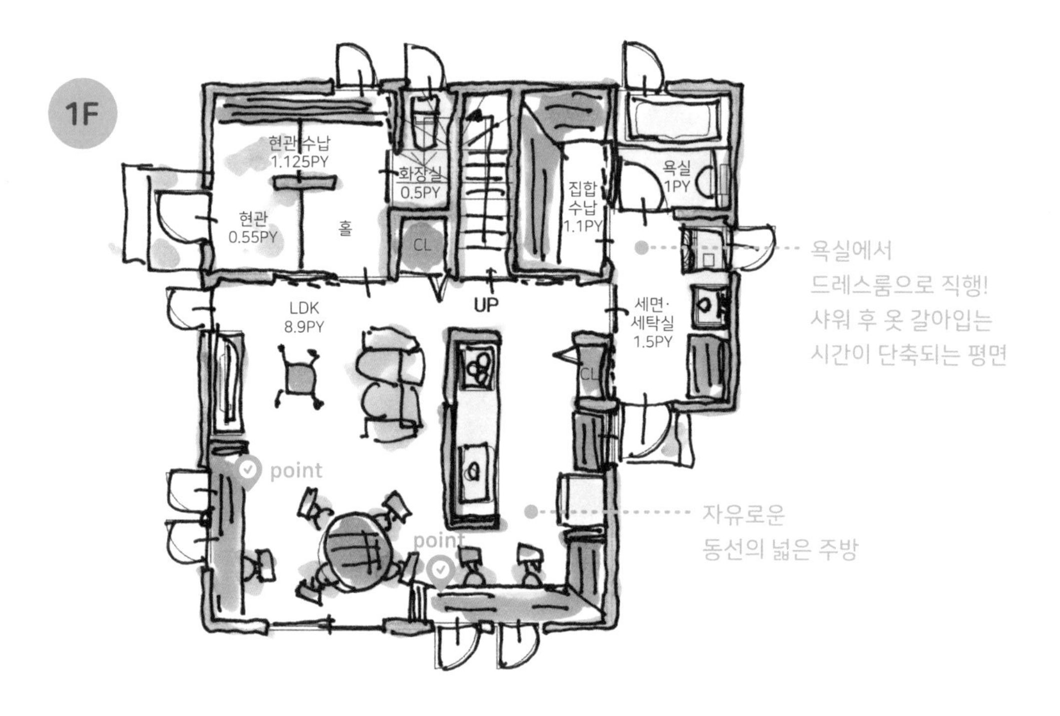

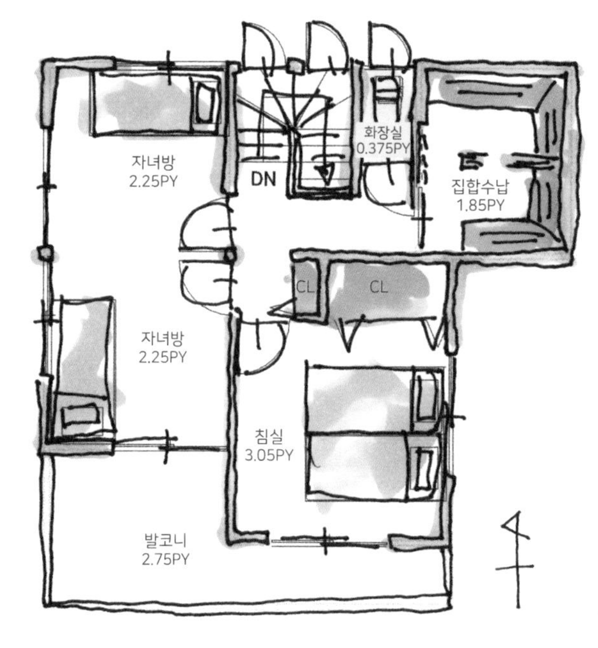

CASE 34

이상적인 평면의 3층 주택

이 3층 주택은 각 층 면적은 좀 작지만, 행복만큼은 집 안에 가득합니다. 1층부터 설명하면, 현관에는 신발장과는 별도로 깊이 있는 수납장을 설치했습니다. 복도 끝에는 1.5평의 집합수납공간이 있는데, 욕실과 세탁실, 복도 어느 쪽에서도 들어갈 수 있어 매우 편리합니다. 가급적 계단 오르내림을 줄여주고자 동선이 이어져야 할 실은 서로 근처에 두었습니다.

2층으로 올라가면 33㎡(10평) 정도의 LDK가 계획되었고, 주방 뒤에는 긴 테이블과 찬장이 있습니다. 식당과 거실의 동쪽에는 선반형 테이블을 설치해 식사도 하고, 생활용품 등을 수납할 수 있게 했습니다.

아이방이 있는 3층은 반드시 2층 거실을 통해야 갈 수 있으니 자녀와의 대화가 단절될 일도 없겠죠? 3층에는 빨래를 널 수 있는 실내 건조 공간까지 있어 날씨 걱정 없이 언제나 세탁도 가능합니다.

면적 100.19㎡ | **1F** 37.26㎡ | **2F** 37.26㎡ | **3F** 25.67㎡

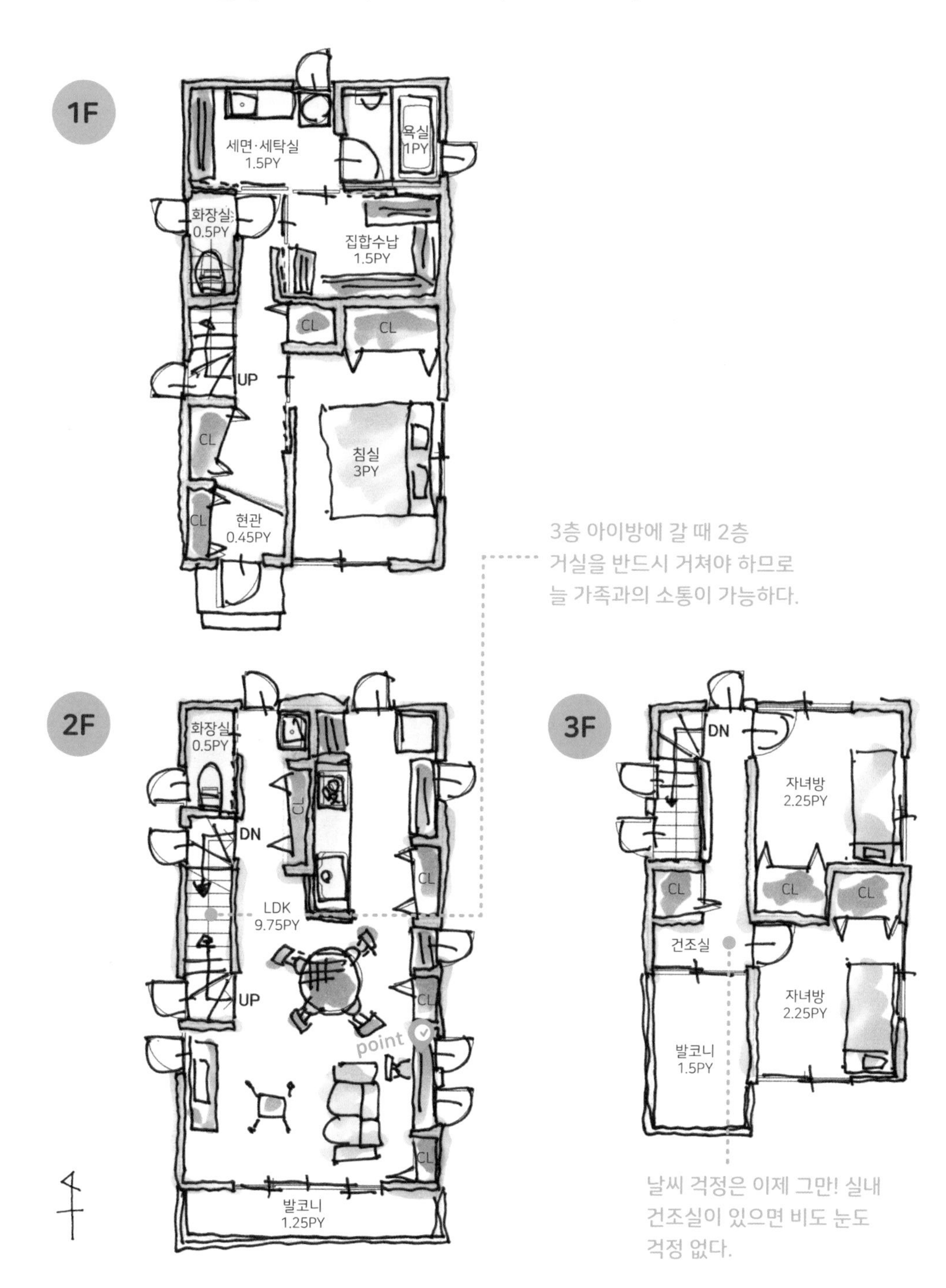

빨래를 말리고 바로 정리!
충분한 수납으로 스트레스 끝!

편리한 세면·세탁실

세탁이 끝나면 그 자리에서 바로 빨래를 말립니다. 건조대가 있는
세면·세탁실이 요즘 대세! 수납공간도 풍부해 집안일이 즐겁고 편해집니다.

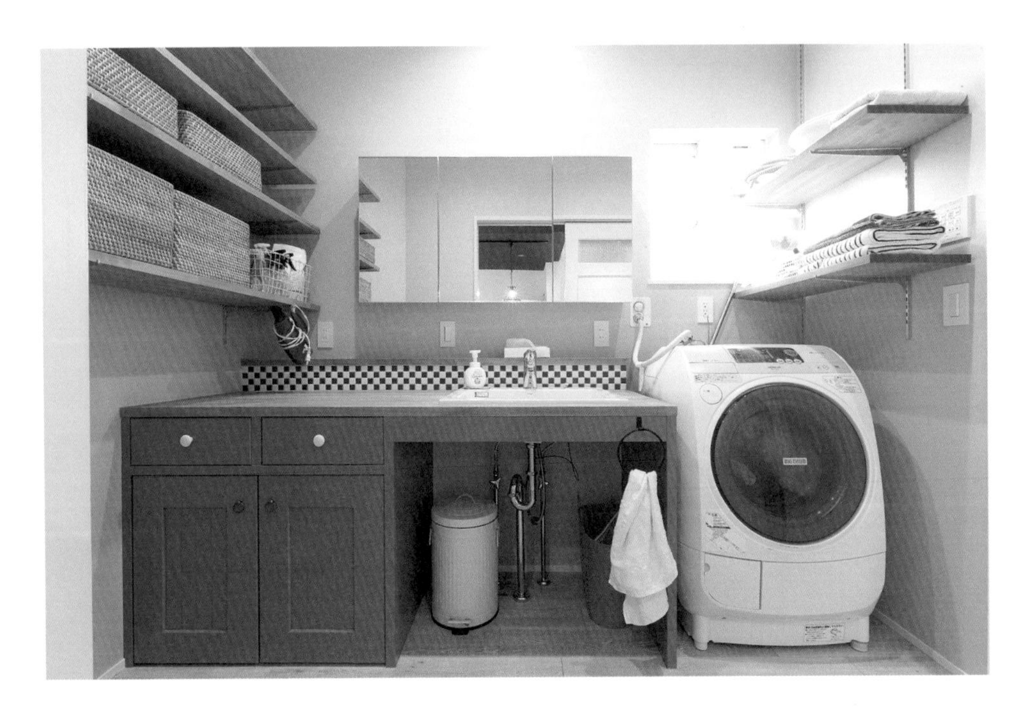

실용성과 멋스러움이 공존하는 공간

양치질만으로 기분이 좋아질 것 같은, 밝고 세련된
세면·세탁실. 이동식 선반에는 가족의 속옷이나 수건을
정리해둡니다. 화이트와 짙은 네이비 톤의 타일 비율과
세면대의 색감을 신중하게 택했고, 천장에는 유용한
빨래 건조대도 설치하였습니다.

컬러풀한 색감의 바닥이 포인트

세면·세탁실 옆에 수납공간을 만들고 동선의 편의를 고려했습니다. 사진상으론 헤링본 패턴의 나무 바닥으로 보이는데, 실은 타일입니다. 덕분에 물이 닿아도 바닥이 변형되거나 손상될 염려가 없죠.

목욕 후 남은 물을 활용하는 친환경적인 구조

목욕한 다음 남은 물을 낭비 없이 재활용할 수 있도록 욕실에서 세탁기까지 배관을 연결했습니다. 수도꼭지를 틀기만 하면 남은 온수를 사용할 수 있죠. 욕실 입구 근처 선반형 테이블에는 수건 등을 놓을 수 있어 편리합니다.

빨래, 건조, 정리를 모두 한곳에서

'세탁한 옷을 갤 수 있는 공간도 있었으면 좋겠다'는 건축주의 요청에 따라 세면대 부분을 연장해 선반을 만들었습니다. 물론 그 아래는 충분한 수납공간을 두었고요. 천장에는 전동 빨래 건조대를 설치해 이곳에서 말리기→개기→정리가 전부 해결됩니다.

넓은 정방형의 세면·세탁실

왼쪽 큰 발코니 창은 실내에 가득 빛을 들입니다.
맑은 날에는 발코니에 빨래를 널고, 비 오는 날에는
실내에서 건조합니다. 직접 디자인한 귀여운 문은
이 공간의 핵심!

옷 넣는 바구니를 두면 휴대 간편

수납장 앞쪽 천장에 건조대를 설치했습니다. 다 마른빨래는 가족 개개인의 바구니에 개어 넣고 각 방 옷장으로 옮깁니다. 수납 선반의 폭도 바구니의 높이에 맞춰 결정했습니다.

빛과 바람의 통로가 되는 뒷문

세면·세탁실에 뒷문을 설치하는 것은 제가 추구하는 스타일. 밖에서 뛰놀다 온 아이는 더러워진 옷을 이곳에서 벗고 바로 욕실로 갈 수 있습니다. 뒷문을 통하면 마당에 빨래를 널러 가기도, 분리수거를 하러 가기도 편리하겠죠?

마치 바닷속에 있는 듯한 안락함

사진으로는 잘 나타나지 않았지만, 이 세면·세탁실 천장엔 채광창이 있습니다. 햇빛이 파란색 벽을 비추면 무척 아름답죠. 괜히 집안일까지 즐거워집니다. 이곳에서 침실과 드레스룸으로 바로 연결되어 이동이 수월합니다.

물방울 & 줄무늬에 마음 설레는 아침

집 모양의 개구부를 통과하면 옷가게의 피팅룸 같은 옷장이 있습니다.
물방울무늬 벽지는 정면에만 붙이고 나머지 3면은 흰색 벽지를,
바닥은 줄무늬 타일로 마감해주었습니다. 천장에 전동 건조대를
설치하는 것도 잊지 않았고요.

세련된 디자인으로 기분 업!

좌측에 욕실이 있어, 벗은 옷은 세면대 밑 바구니 속으로, 새 수건과 속옷은 그 위 선반에 두었습니다. 쓰기도 편하고, 디자인도 깔끔하죠. 여기에 네이비 컬러 타일을 벽에 붙여 장식 효과를 더했습니다.

5

주택 평면 사례

CASE 35-39 + COLUMN 5

CASE 35

천장을 도트 무늬 벽지로 마감한다면?

요즘 제가 추구하고 있는 것이 바로 '**놈코어**(Normcore)'. 패션계에서는 일반화되어 있지만, 집짓기에서도 상당히 중요한 단어입니다. 놈코어=평범함. 집으로 말하면 나무 바닥, 흰색 창호와 천장 등 흔히 떠올리는 집의 모습을 뜻하겠죠. 하지만 거기서 끝이 아닙니다. 놈코어룩이 단순한 옷에 '나다움'을 더하듯, 집 또한 조금의 변화로 '이 집, 어딘지 모르게 세련됐네!'라는 평을 들을 수 있습니다. 그럼 그 개성을 어디에 표현하면 좋을까요? 일단 벽지도 하나의 방법입니다. 예를 들어 흰 벽은 하부 30㎝만, 그레이베이지 계열의 벽지로 나머지를 나눠 붙입니다. 단지 이것만으로도 방의 분위기가 확 바뀌죠. 벽지를 나눠 붙이는 것은, 솔직히 돈을 거의 들이지 않고 변화를 주는 방법입니다. 물론 시공자의 일이 늘긴 하겠지만, 꼭 한 번 해볼 만하다고 생각합니다.

놈코어(Normcore) | '노말(normal)'과 '하드코어(hardcore)'의 합성어로 평범함을 추구하는 패션

면적 99.37㎡ | **1F** 58.38㎡ | **2F** 40.99㎡

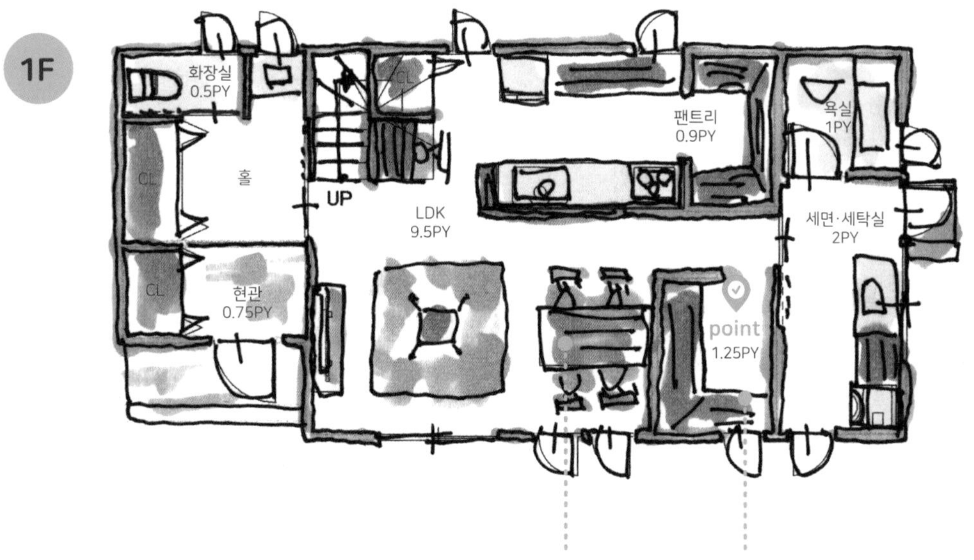

포인트 벽지로 마감된 주방. 테이블을 벽 쪽에 붙이면 카페 풍으로 변신

세면·세탁실 바로 옆 취미실은 여분의 방으로도 쓰기 좋다.

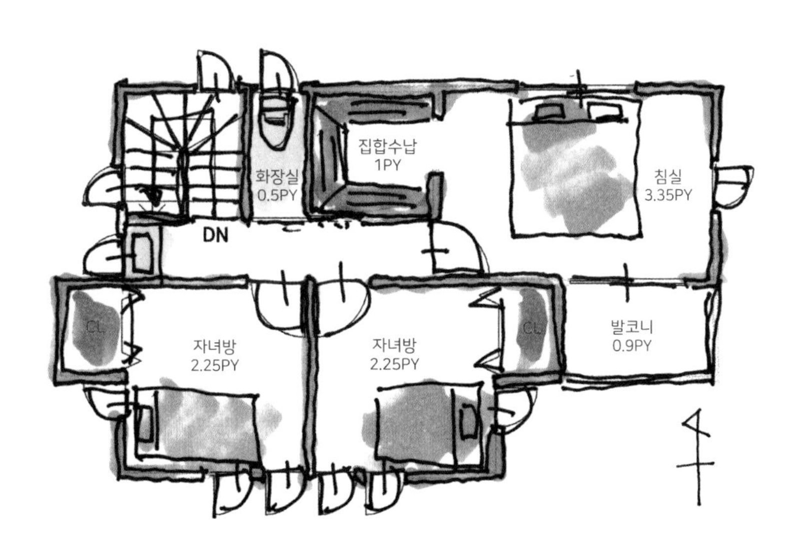

CASE 36

항상 연인 같은 부부의 집

이번 평면은 그동안의 평면과는 좀 다릅니다. 예전에 읽은 연애소설을 떠올리며 그린 평면입니다. 집의 이름은 '항상 연인 같은 부부의 집'. 뭔가 멋진 분위기일 듯하죠? 부부는 둘 다 패션을 좋아하고, 느긋한 성격입니다. 집 안에는 재즈, 팝, 클래식 장르 불문 음악이 늘 흐르고요. TV는 있지만, 남편이 야구와 축구를 잠시 보는 정도. 아내는 잡지 읽는 걸 더 선호합니다.
두 사람이 집에서 바라는 것은 언제든지 서로의 존재를 확인할 수 있는 공간입니다. 한 공간에 있지만, 각자의 행동에 간섭하지 않는 대신 언제나 같이 있음을 느낄 수 있는. 이런 설정은 매번 아주 만족스럽습니다.

면적 74.52㎡

세면·세탁실 근처 넓은 수납공간.
패션을 좋아하는 사람이라면 의류
매장처럼 꾸미는 것도 좋은 방법!

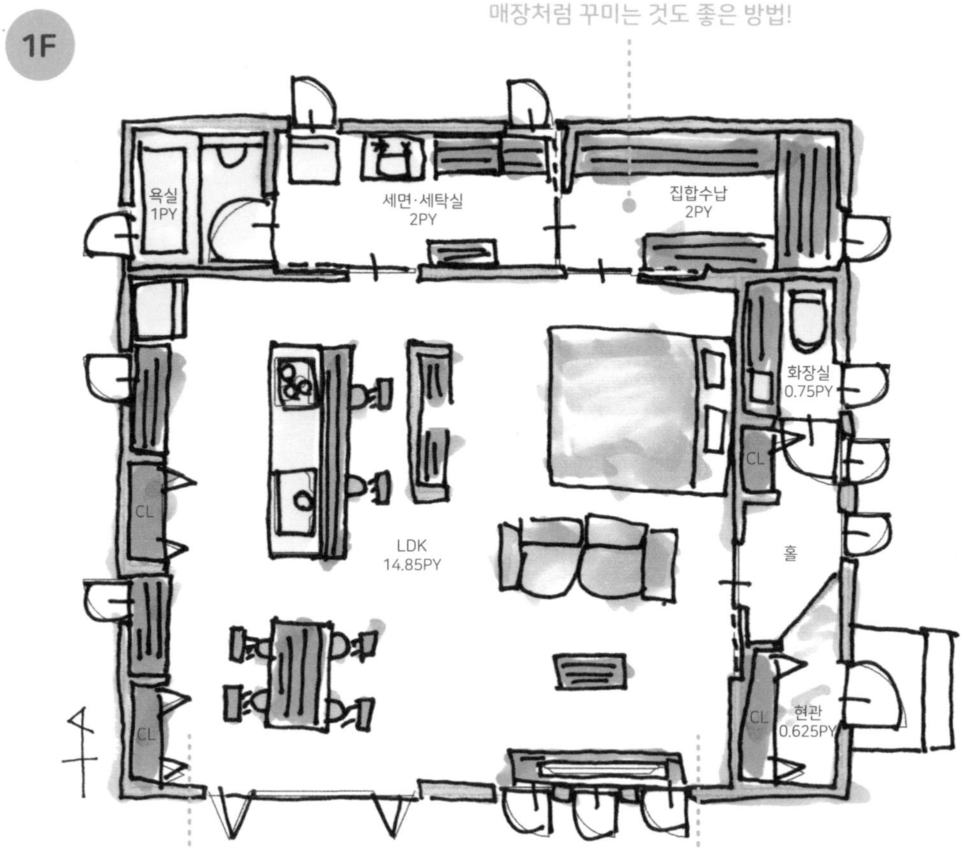

1F

욕실
1PY

세면·세탁실
2PY

집합수납
2PY

화장실
0.75PY

CL

LDK
14.85PY

홀

CL

CL

현관
0.625PY

먹고, 쉬고, 잠들고. 무엇을
하고 있어도 상대의 존재를
느낄 수 있는 평면이다.

CASE 37

주부를 배려한 주방의 정석

이 평면에서 가장 먼저 알리고 싶은 것이 바로 주방의 위치. 주방이 집 중심에 있기 때문에, 세면·세탁실이나 계단, 거실, 현관과도 자연스럽게 연결됩니다. 아무래도 동선이 편리하면 가사가 편해집니다. 다이닝룸에는 제가 선호하는 발코니창을 냈습니다. 밖에는 데크를 놓았고요. 데크는 거실 앞에 설치하는 것도 좋지만, 이렇게 다이닝룸과 이어지면 야외에서 식사할 때도 아주 만족스럽습니다. 주방에서 요리하며 보는 바깥 풍경은 덤이고요. 현관 선반 하단은 오픈하여 세발자전거와 장화, 부츠 등 길이가 긴 물건도 문제없이 둘 수 있게 했습니다. 선반을 가변식으로 제작하면 필요에 따라 높낮이를 조절할 수 있어 편리합니다. 주방 옆엔 팬트리와 거실 양쪽에서 사용할 수 있는 수납공간을 만들었습니다. 팬트리에는 주방 도구를, 거실 수납 쪽에는 청소 용품을 정리해 넣었어요. 이처럼 아이템별로 나누어 수납하면 숨겨진 것도 쉽게 찾아낼 수 있습니다. 즉, '적재적소' 수납은 편하게 사는 요령입니다.

면적 100.61㎡ | **1F** 57.55㎡ | **2F** 43.06㎡

1F

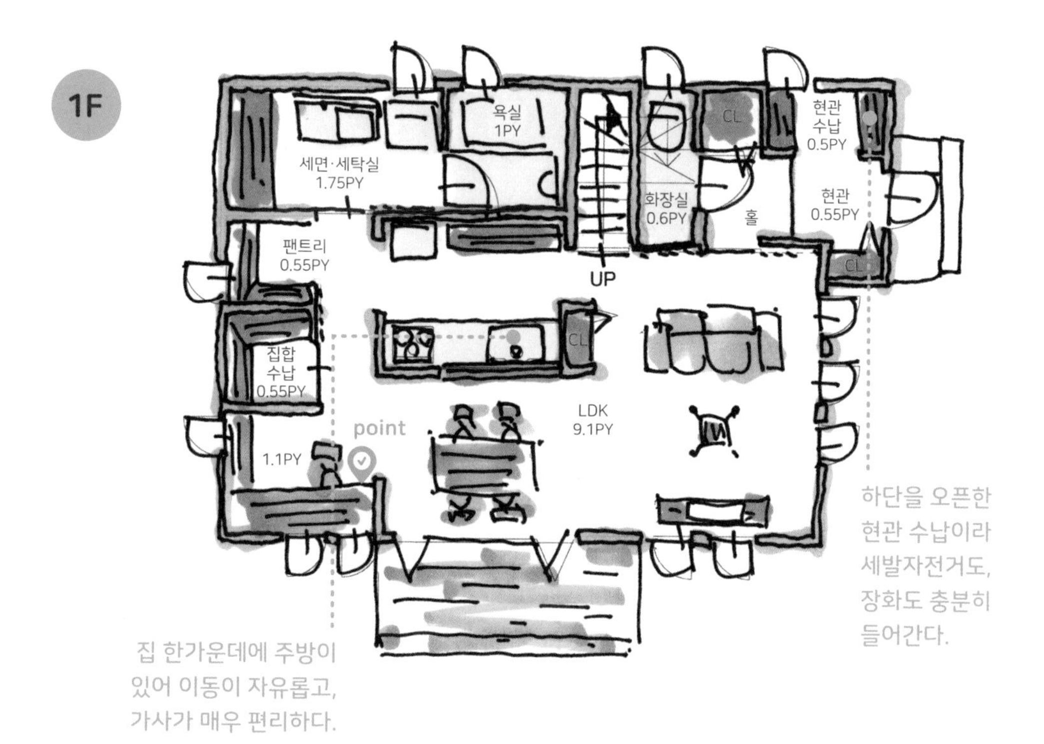

하단을 오픈한 현관 수납이라 세발자전거도, 장화도 충분히 들어간다.

집 한가운데에 주방이 있어 이동이 자유롭고, 가사가 매우 편리하다.

2F

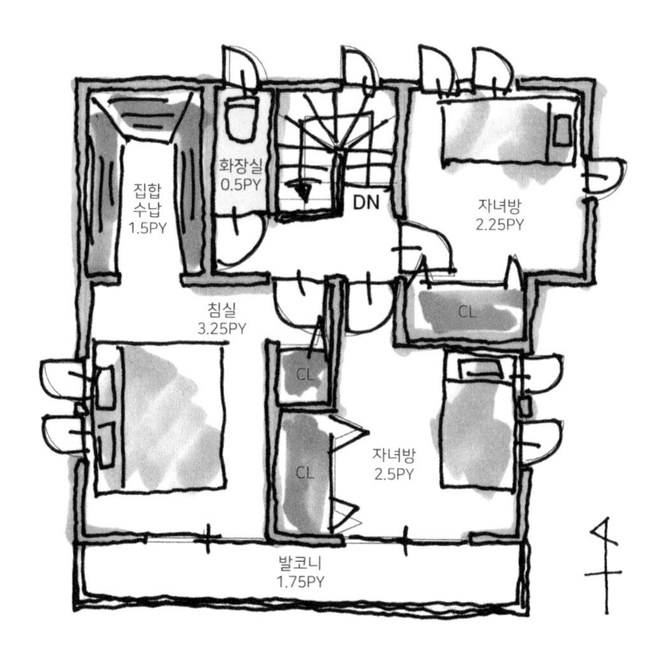

CASE 38

서재를 만화카페처럼

저희 집으로 삼고 싶을 만큼 마음에 드는 단층집입니다. 한 층에서 모든 생활이 이뤄지니 나이가 들어 팔다리가 약해져도 안심! 역시 현관에는 수납공간을 뒀고, 단층집이지만 화장실은 2개 계획했습니다. 이 중 하나는 세면실을 포함하고요. 화장실에 세면대가 함께 있으면 집을 찾은 손님도 조금 편하게 사용할 수 있겠죠?
주방 옆에는 선반형 테이블을 놓았습니다. 침실과 세면·세탁실을 가까이 배치해 바쁜 아침, 이동 동선을 줄일 수 있도록 했고요.
세면·세탁실 옆 3.3㎡(1평)의 수납공간은 사용자의 편의를 고려해 만든 장소입니다. 이 집의 가장 큰 포인트는 거실과 식당 옆 서재. 아이들은 이곳에서 책을 읽고 공부를 하죠. 입구에 커튼을 달아 하나의 방 같은 느낌을 연출하는 것도 좋습니다. 만화방처럼 꾸며도 재밌을 것 같아요. 좋아하는 음악을 들으며 가족과 함께 하는 한적한 오후. 생각만으로도 즐거워집니다.

면적 105.58㎡

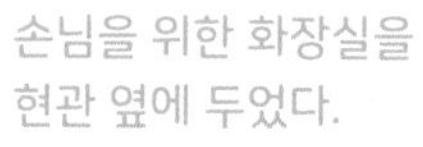
손님을 위한 화장실을
현관 옆에 두었다.

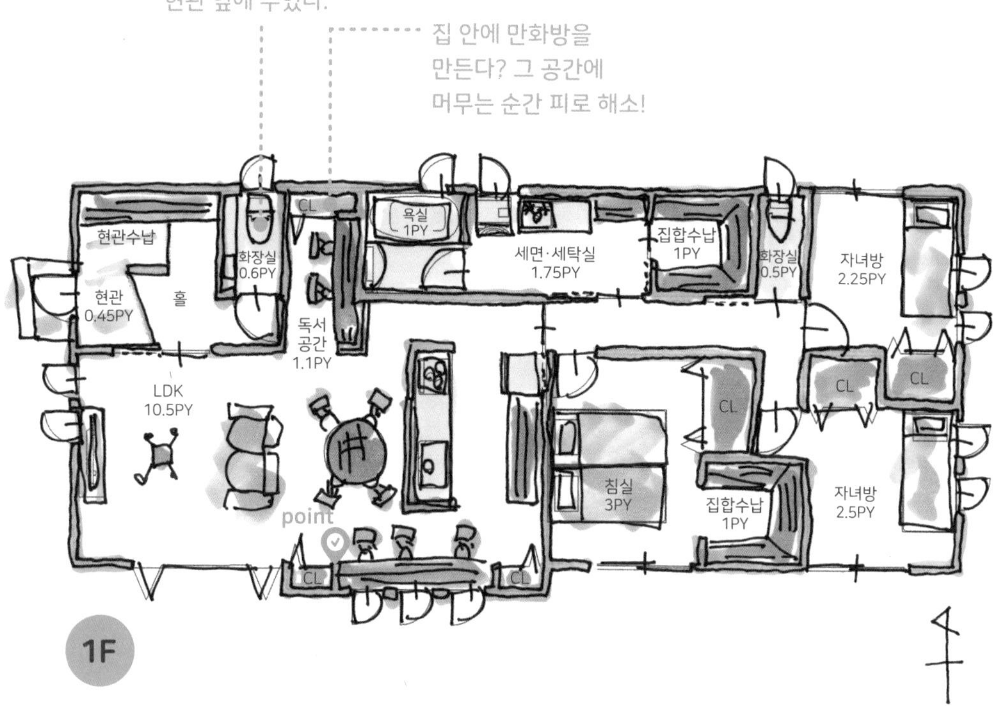
집 안에 만화방을
만든다? 그 공간에
머무는 순간 피로 해소!
현관수납
현관
0.45PY
홀
화장실
0.6PY
CL
독서
공간
1.1PY
욕실
1PY
세면·세탁실
1.75PY
집합수납
1PY
화장실
0.5PY
자녀방
2.25PY
LDK
10.5PY
CL
CL
CL
침실
3PY
집합수납
1PY
자녀방
2.5PY
point
CL
CL
1F

CASE 39

아이가 3명?
여유 있는 수납공간!

SNS에서 가장 문의가 많았던 부부 + 아이 3명 집입니다. 우선
현관에는 수납공간 있어 다섯 식구의 신발이나 우산 등은 충분히
넣을 수 있습니다. 그리고 세면대와 화장실을 함께 설치해 외출 후
손과 발을 깨끗이 씻고 집 안으로 들어올 수 있게 했죠. 여자아이가
있다면, 탈의실도 따로 있음 좋을 것 같아요. 세면·세탁실은
4.9㎡(1.5평)로, 이곳에 아이의 실내복 및 속옷 등을 모두 정리합니다.
물론 빨래건조대를 설치하는 것도 가능하고요.
2층 아이방에는 7.44㎡(2.25평) 붙박이장이 있습니다. 게다가
복도에도 세탁실 크기의 수납공간을 마련했죠. 최소한 이 집에선
수납에 관한 걱정은 더는 하지 않아도 될 듯합니다.
잠깐, 여기서 '아이방 하나가 너무 부족한 거 아닌가요?'라고
생각하신 분, 손! 지내보면 아시겠지만, 아이방 3개가 필요한 시간은
그리 길지 않습니다. 일단 어릴 때는 아이와 부모가 한방을 쓰고,
어느 정도 크면 가벽으로 방을 나누는 구조를 고려토록 합니다.
2층에는 화장실과 세면실이 있어, 아침 출근 시간대에도 복잡하지
않습니다. 잘 된 평면으로 누리는 여유로운 아침, 어떤가요?

면적 115.92㎡ | **1F** 57.96㎡ | **2F** 57.96㎡

1F

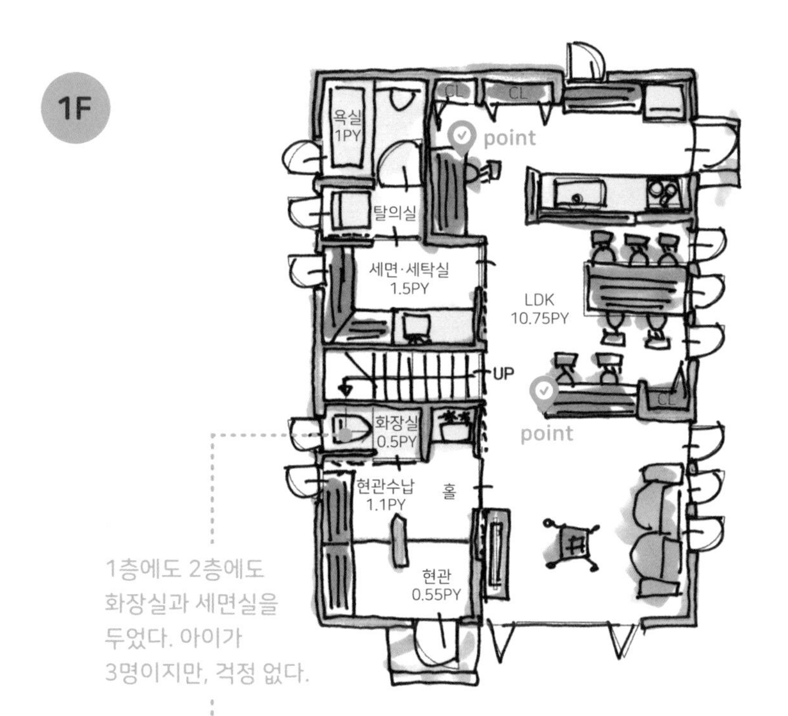

1층에도 2층에도
화장실과 세면실을
두었다. 아이가
3명이지만, 걱정 없다.

2F

CL
자녀방
2.25PY
CL
자녀방
2.25PY
CL
CL
집합수납
1.5PY
자녀방
2.25PY
DN
화장실
0.5PY
침실
3PY
집합수납
1.5PY
발코니
1.75PY

멋쟁이 딸과 스포츠를
좋아하는 아들에게는
별도의 수납장을!

수납력 발휘!
넓어 보이는 공간 아이디어!

가족이 활짝 웃을 수 있는 현관

현관은 집의 얼굴. 언제나 깨끗하게 보이려면 사용하기 편한 수납장을
만들어 가족의 여러 가지 물건을 깔끔하게 보관합시다.
좁은 공간도 디자인에 따라 넓게 변신할 수 있음을 잊지 말도록.

NO.1

문, 바닥,
선반 디자인의 조합

문이 없어도 멋진 신발장!
선반은 이동이 가능해
물건이 늘어나면 더 추가
설치할 수 있습니다.
디자인이 다른 2개의
문으로 공간에 다양함을
주고 헤링본 패턴 바닥으로
고급스러움을 더했어요.

현관 홀에 세면대를

최근 현관 홀에 세면대와 화장실을 설치하는 집이 많아지고 있습니다. 귀가 후 손을 씻고 집 안으로 들어올 수 있는 위생적이고 실용적인 현관 디자인입니다. 측벽의 틈새에는 가방과 슬리퍼 등을 수납해 작은 공간도 놓치지 않고 활용했습니다.

좁은 현관을 넓은 공간으로

현관을 넓어 보이게 하기 위해 바닥을 일부러 비스듬하게 배치하였습니다. 똑바로 들어 왔을 때 비해 내려다보이는 범위가 커져 공간이 넓게 느껴집니다. 시선을 모아주는 펜던트 조명도 공간 확장에 도움을 줍니다.

어디에 무엇이 들어 있는지 일목요연하게
문을 여닫는 것이 의외로 번거로워 최근 현관 수납공간에 문을 설치하지 않는 가정이 늘고 있습니다. 특히 유모차나 자전거를 보관하는 경우에는 확실히 문이 없어야 더 편리합니다. 따라서 설계 단계부터 어디에 무엇을 수납할 것인지 확실히 생각해두세요.

매장 디스플레이 같은 수납을 현관에
현관 정면에 수납 선반을 두면 외출 시 코트와 가방을 바로 가지고 나갈 수 있어 유용합니다. 포인트 벽지로 마감하면 상점 같은 귀여운 공간을 만들 수도 있습니다. 옷걸이를 통일하는 것이 깔끔히 보이게 하는 요령이죠!

수납공간에도 창문이 있다면!
현관에 창문도 설치하고, 수납공간도 늘리고 싶다. 그런 고민에 대한 대답으로 신발장에 창을 만들었습니다. 여기에 반투시 루버 도어를 달아주면, 현관에도 빛과 바람이 충분히 들어옵니다.

비밀의 방 같은 현관 수납공간
삼각형의 개구부와 그 너머 붉은색의 벽. 이 조합, 은근히 잘 어울리죠? 이동 선반의 폭을 좌우 빈틈없이 딱 맞춘 것은 수납공간의 포인트. 입구에서 봤을 때 좌우가 맞지 않으면 아무래도 불안정해 보여요.

블랙 & 화이트 벽에 건 자전거

벽지를 블랙과 화이트로 나눠 붙이고, 자전거는 벽면에 걸어 보관합니다. 거실에서 자전거가 잘 보이도록 두 공간 사이 벽에 창문도 설치했습니다. **벽지 색상만 잘 선택해도 개방감 있는 공간을 연출할 수 있습니다.**

정리를 잘 못 한다면 수납공간에 문을

곡선의 벽에 수납공간을 늘리고, 한쪽에는 신발을, 다른 한쪽에는 캠핑 도구 등을 정리했습니다. 많은 이들이 문 설치 여부를 고민하는데, 본인이 얼마나 잘 정리할 수 있을지를 생각해보고 가장 스트레스 없는 방법을 찾아보세요.

과하지 않는 것이 정답

하늘색을 칠한 인방 틀이 현관의 핵심. 현관에 있는 2개의 문까지 다 같은 색상으로 칠하면 나중에 조금 질릴 수 있습니다. 뭐든 과하지 않는 것이 멋진 공간을 만드는 열쇠입니다.

6

주택 평면 사례

CASE 40-44 + COLUMN 6

CASE 40

수납에 충실한 집

현관문을 열고 '다녀왔습니다!' 인사한 후, 수납장에 신발과 가방을 놓고 코트를 겁니다. 거실에 들어가기도 전에 귀가 후 정리가 완료되었습니다. 이처럼 충분한 현관 수납공간을 마련한 평면도가 여기 있습니다. 불필요한 물건 반입이 없는 거실은 언제나 깔끔합니다. 교통카드나 열쇠도 현관 수납장의 제자리에. '적재적소'의 수납은 불필요한 행동을 줄이고, 물건을 찾는 데 쓰는 쓸데없는 시간을 덜어줍니다.
물론 거실에도 충분한 수납공간을 설치하였습니다. 잡지나 CD 등은 보여도 지저분하지 않으니 선반은 문을 없애되, 예쁜 발 정도는 달아도 멋질 것 같네요. 선반의 하단을 개방해두면 아이의 숨바꼭질 장소가 되어주기도 해요. 주방 남측엔 아내 전용 선반형 테이블을 둡니다. 세면·세탁실과 인접해 있기 때문에 세탁을 기다리는 동안이나 요리가 완성될 때까지 여기에서 시간을 보내면 좋겠죠. 게다가 딱 어울리는 음악까지 흘러나오면 더없이 아름다울 겁니다. 세면·세탁실의 뒷문은 정원으로 바로 나갈 수 있어 빨래도 빨리 널 수 있어요.

면적 96.46㎡ | **1F** 55.06㎡ | **2F** 41.40㎡

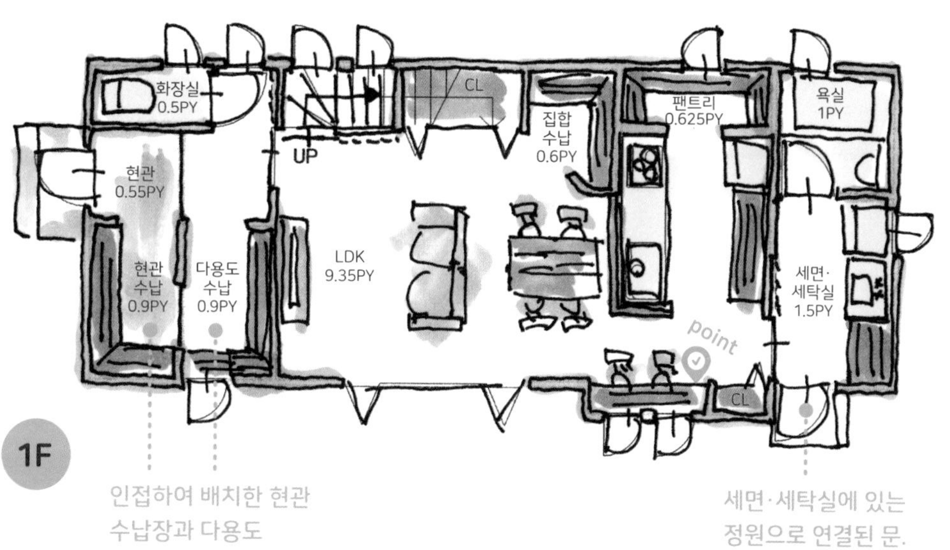

인접하여 배치한 현관 수납장과 다용도 수납장. 귀가 후 모든 정리가 현관에서 끝!

세면·세탁실에 있는 정원으로 연결된 문. 빨래 널 때도 분리수거를 할 때 이쪽으로 나간다.

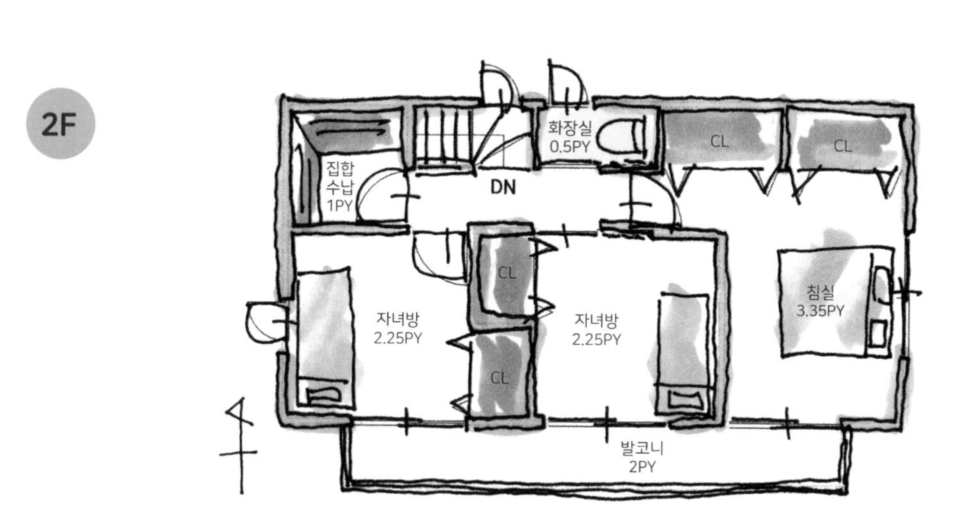

CASE 41

길고 좁은 대지 속 희망이 실현되는 집

비록 대지 폭이 약 3.6m지만, 살기 좋고, 최고라고 말할 수밖에 없는 평면도를 소개합니다. 이 집에는 부부와 자녀 2명이 삽니다. 딸과 엄마, 아빠와 아들의 사이가 좋습니다. 식당과 거실 사이에 만든 테이블에서는 엄마와 딸이 이야기꽃을 피우고, 아빠와 아들은 TV 앞에서 게임에 열중합니다. 서로 다른 일을 하고 있지만, 가족 모두가 한 공간 안에 있는 왠지 행복한 모습이 그려집니다.

1층 수납은 주방과 현관에 집약했습니다. 휴식 시간을 보내는 거실은 최대한 물건을 두지 않은 편안한 공간으로 계획했고요. LDK를 넓게 잡아 세면·세탁실과 욕실은 2층에 설치하고, 팬트리에서 바로 계단으로 갈 수 있게 하는 등 가사 동선을 최대한 짧게 하고자 노력했습니다. 아이방 하나는 부부 침실과 연결해 큰 방으로 만들고, 추후 아이의 성장에 따라 2개의 방으로 나눕니다. 자녀가 독립하면 다시 하나의 넓은 방으로 사용할 예정이죠. 가족의 변화에도 유연하게 대응할 수 있는 자유로운 평면입니다.

면적 105.98㎡ | **1F** 52.99㎡ | **2F** 52.99㎡

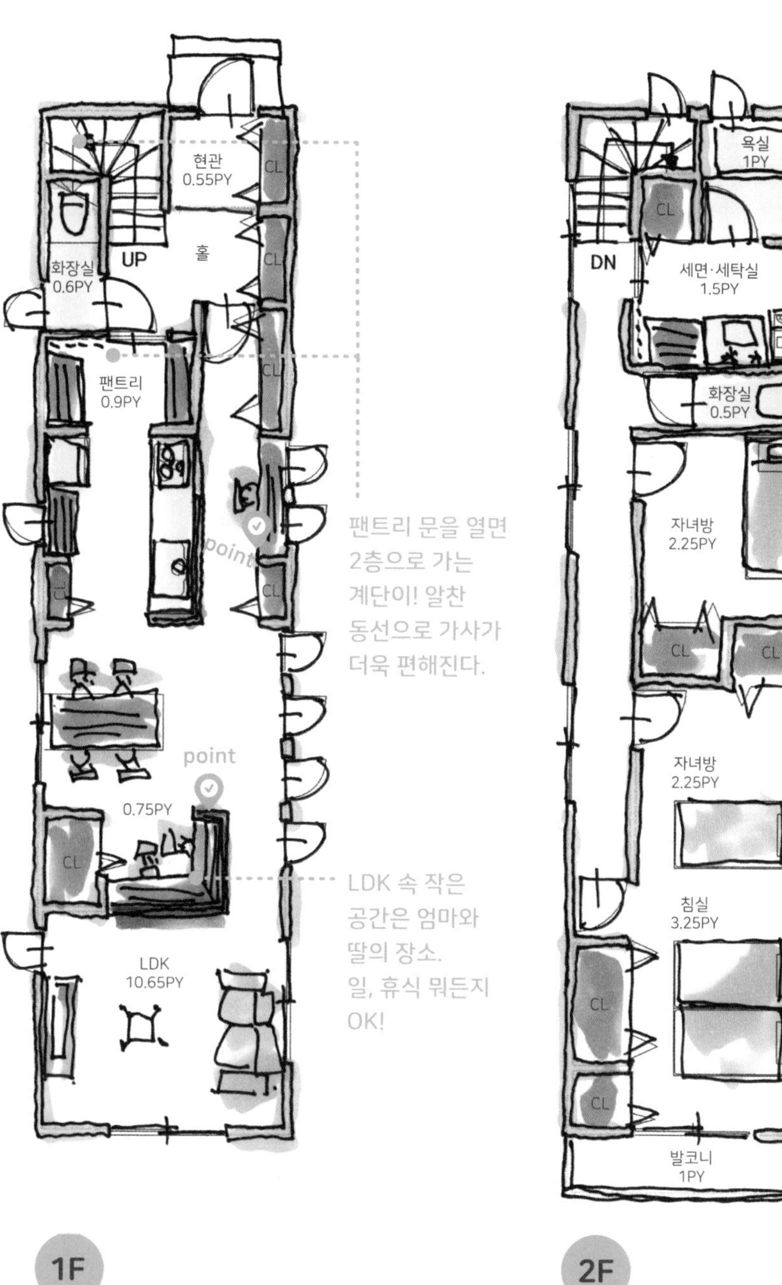

CASE 42

미닫이 현관문의 장점

이 집에 사는 사람은 아이 2명이 있는 30대 초반의 활동적인 부부. 출퇴근도 쇼핑도 자전거로 하는 그들에게, 자전거는 그야말로 가족의 일상입니다. 그러니 필연적으로 자전거를 집 안에 두고 싶겠지요. 도난당하면 큰일이니까요. 그래서 현관 면적은 자전거 2대와 아이 세발자전거까지 여유롭게 둘 8.59㎡(2.6평) 정도로 유지합니다. 자전거 점검도 할 수 있는 크기입니다. 출입구에는 자전거가 쉽게 드나들 수 있는 슬라이딩 도어를 설치했습니다.
카페 분위기가 나는 창문을 단 2층 주방은 아내의 마음에 쏙 드는 공간입니다. 계단을 오르면 성인이 조금 허리를 굽혀야 하는 높이의 다락방과 마주합니다. 낮은 층고 덕분에 비밀의 방 느낌이 물씬 납니다.

면적 110.24㎡ | **1F** 56.52㎡ | **2F** 53.72㎡

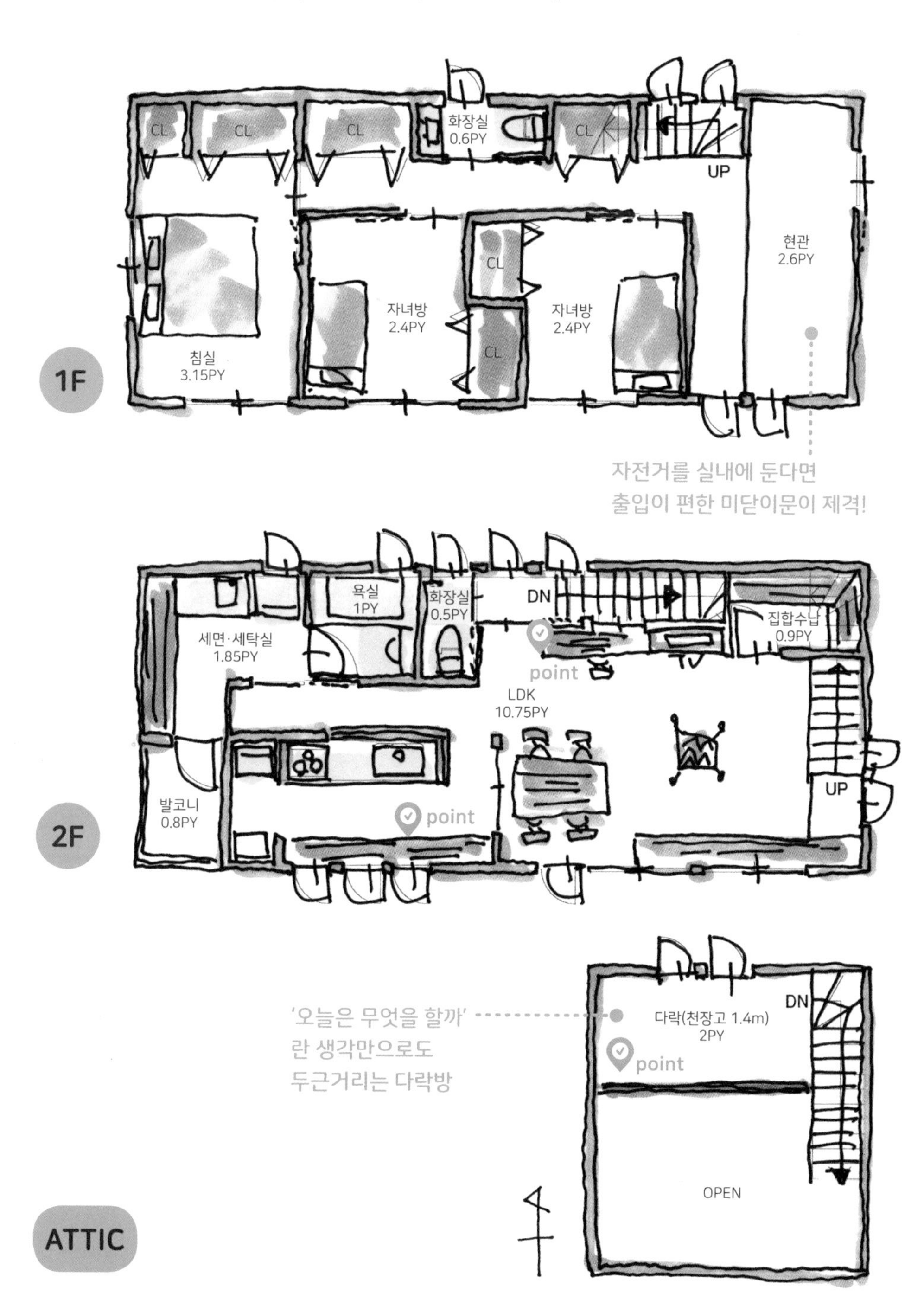

CASE 43

사춘기 아들과도 매일 마주할 수 있는 집

부모와 자식과의 관계는 아이의 성장과 함께 변해갑니다. 아빠·엄마 곁에서 어리광 피우던 아이가 어느덧 반항기에 접어들기도 하죠. 아들이라면 그것이 더 현저히 나타납니다. 눈도 마주치지 않게 되어버리면, 너무 슬프겠지요? 그런 때를 대비해 만든 평면도입니다. 1층에 복도가 없기 때문에, 2층의 아이들 방을 가기 위해서는 반드시 거실을 지나야 합니다. 그 때문에 적어도 하루 한 번은 부모와 아이가 얼굴을 마주할 수 있는 것입니다. 여담입니다만, 복도를 만들지 않았으니 시공 비용 절감도 되고 그야말로 일석이조 아니겠습니까? 계절 지난 이불 등을 보관할 계단 위 선반은 키 커진 아이가 머리를 부딪치지 않게 높은 위치에 설치하는 것도 잊지 않기를!

면적 95.29㎡ | **1F** 53.03㎡ | **2F** 42.26㎡

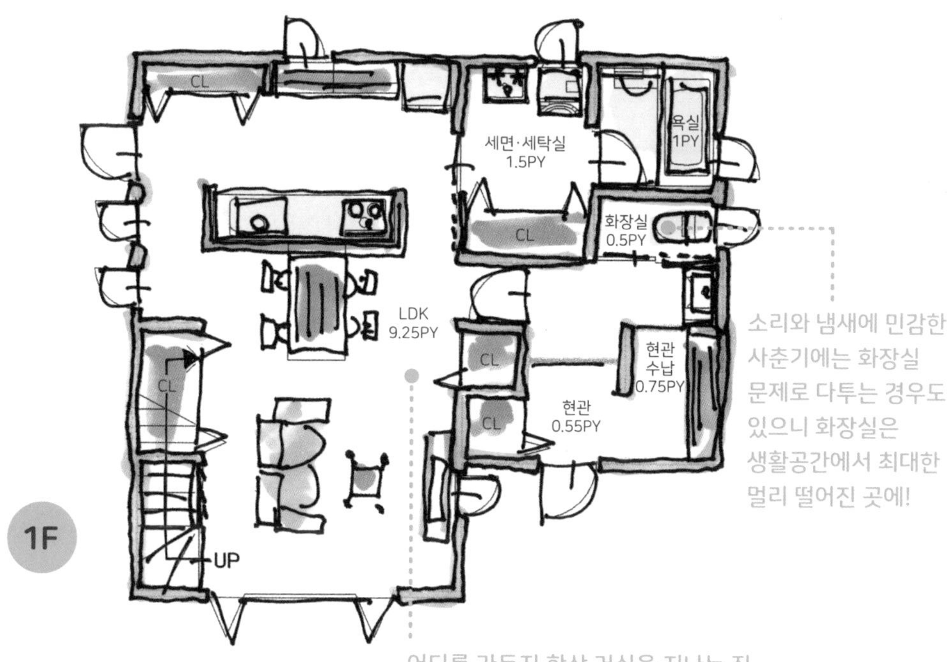

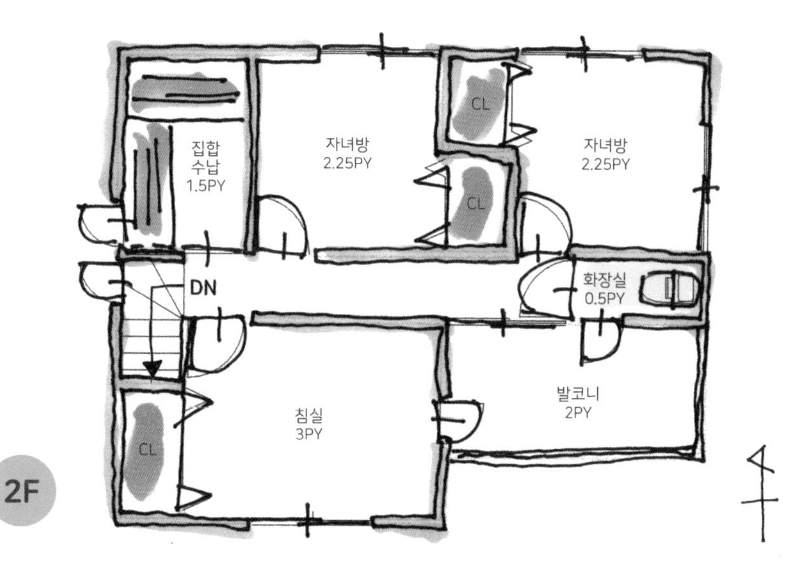

CASE 44

토방이 있는 집

최근 자전거로 출퇴근하는 사람들이 늘고 있어 애용하는 자전거를 집 안에 두고 싶다는 사람도 많습니다. 그런 분들에게 '토방'을 권합니다. 10.74㎡(3.25평) 정도의 토방 현관이라면, 자전거뿐만 아니라 서핑 보드까지도 둘 수 있습니다. 콘크리트의 토방에 자전거라… 괜스레 멋지네요. 토방은 주방과 직접 연결되어 쓰레기 배출도 편리합니다. 욕실, 세면·세탁실, 집합수납, 침실이 모두 이어지는 자연스러운 동선이 좋고요. 게다가 주방, 거실과 다이닝룸, 현관 동선 역시 아주 잘 짜여 있습니다.

이 집 평면은 사각형에 가깝죠? 집이란 사각형일수록 힘이 균등하게 분산됩니다. 그러므로 그만큼 기둥이나 보의 개수를 감소시켜 시공비도 아낄 수 있죠. 단, 네모반듯할수록 실내 공간이 단조로워지는 것도 사실. 각 실의 비율을 정확하게 나누기보단 비대칭으로 배치하면 풍성한 공간을 완성할 수 있습니다.

면적 96.05㎡ | **1F** 74.52㎡ | **2F** 21.53㎡

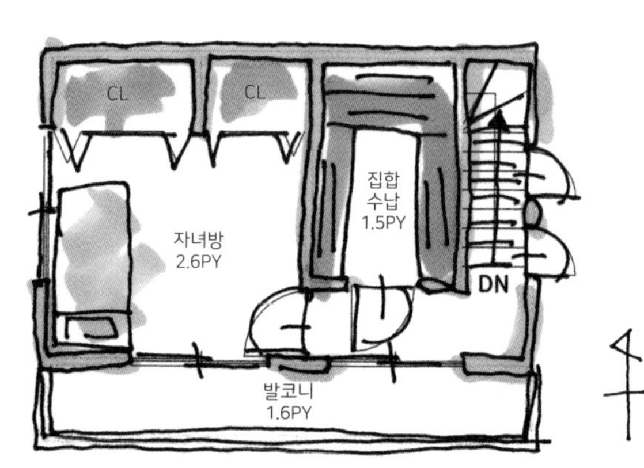

부모가 지켜볼 수 있는!
인테리어의 일부가 될!

왁자지껄 아이들의 공간

아이방은 아이의 성장에 따라 사용법을 바꾸어 나갈 수 있도록
계획해야 합니다. 굳이 아이 같은 디자인을 할 필요는 없어요.
나중을 생각해 온 가족이 활용할 수 있는 공간으로 만들도록 합니다.

상상력이 자라는
자유로운 아틀리에
벽에 아이가 그린 그림이나
공작물, 모자 등을 장식해
아틀리에 같은 분위기를
내보았습니다. 아래의 작은
방에는 선반을 설치해 아이만의
서재로 꾸며주었고요. 추후
이 공간을 무대로 한, 가족 간의
노래자랑도 계획해봅니다.

아이의 세계로 초대하는 액자 같은 입구

바닥을 한 단계 올리면 문을 달지 않아도 거실과 다른 공간이 만들어집니다. **입구가 액자처럼 보여 이 또한 인테리어의 일부분이 되죠.** 안쪽에는 가족 모두의 수납공간인 드레스룸과 연결된 문이 있습니다.

낮잠도 잘 수 있고, 수납공간으로도 맹활약

벤치로도 사용할 수 있게 단을 올리고 그 아래에는 서랍을 설치했습니다. 그곳에 아이의 낮잠용 이불이나 장난감을 수납하면 언제나 정리·정돈된 공간과 마주할 수 있어요. 천장에는 수벽을 설치해 거실과 분리된 느낌을 주었습니다.

자유로운 발상으로 활용한 방

계단 아래 비밀 아지트를 만들었어요. 아이가 커서 못 들어가게 되면 벽에 설치된 선반을 활용해 수납공간으로 쓰면 됩니다. 아이의 성장과 함께 사용법을 바꾸면, 가족도 집도 언제까지나 즐거울 수 있어요.

에필로그

어땠습니까? 제가 그린 평면도.
이 책에 소개한 평면은 모두 고객과의 상담을 통해 나온
것입니다. '해가 드는 세탁실에서 빨래를 톡톡 털어 널면
기분이 좋아지지 않을까?', '옷가게 같은 수납공간이 있으면
옷 선택이 매일 즐거워질지도…'라는 사소하지만 다양한
의견을 수집하고 연구해 만들었습니다.
집짓기에 필요한 것은 건축에 대한 상식이나 규칙이 아닙니다.
가장 중요한 것은 과연 자신과 가족을 설레게 하는 공간이
무엇일까 생각해보는 것. 거기서 출발한 평면은 반드시 당신의
가정을 행복하게 해줄 것입니다.
제가 일일이 찾아다니며 집짓기에 도움을 주고 싶습니다만,
몸이 하나뿐이라 그럴 수는 없으니 대신 이 책이 당신의
즐거움을 찾는 단서가 되어주길 바랍니다.
언젠가 들려주세요. 이 책을 보고 당신이 만든 행복한 집을.
그날을 기대하며 저는 오늘도 좋은 평면을 만들기 위해
달리겠습니다.

상상만 했던 우리 집 평면도를
자유롭게 그려보세요.

최고의 주택 평면

초판 1쇄 발행 2019년 6월 11일
초판 3쇄 발행 2022년 8월 26일

저자	타부치 키요시	**인쇄**	북스
역자	장진희	**출력**	삼보프로세스
펴낸이	임병기	**용지**	영은페이퍼㈜
책임편집	김연정	**발행처**	㈜주택문화사
기획편집	이세정, 조고은	**출판등록번호**	제13-177호
	조성일, 신기영	**주소**	서울시 강서구 강서로 466 6층
디자인	최리빈	**전화**	02-2664-7114
마케팅	서병찬	**팩스**	02-2662-0847
총판	장성진	**홈페이지**	www.uujj.co.kr
관리	이미경		

정가 18,000원
ISBN 978-89-6603-048-4

이 도서의 국립중앙도서관 출판예정도서목록(CIP)은 서지정보유통지원시스템
홈페이지(http://seoji.nl.go.kr)와 국가자료종합목록 구축시스템(http://kolis-net.nl.go.kr)에서
이용하실 수 있습니다. (CIP제어번호 : CIP2019020273)